KB196486

윌리엄 블레이크,

마음을 말하면 세상이 나에게 온다

윌리엄 블레이크,
마음을 말하면 세상이 나에게 온다

윌리엄 블레이크 시와 아포리즘

김천봉 엮고 옮김

"모래 한 알에서 세상을 보고
들꽃 한 송이에서 천국을 보다"

아이콤마

엮고 옮긴이 | 김천봉

영미 시 전문 번역가. 전라남도 완도군에 있는 섬 소안도에서 초중고교를 나와 숭실대학교 영문과에서 학사와 석사 학위를 받았으며, 2005년에 고려대학교 대학원에서 영문학 박사 학위를 받았다. 저서로 『셸리 시의 생태학적 전망: 깊은 생태주의자로서 셸리』가 있고, 2000년 초부터 2016년까지 숭실대와 고려대를 비롯한 여러 대학에서 영어와 영시를 가르쳤다. 그리고 20년 가까이 19세기와 20세기 영미 시를 우리말로 번역하여 소개하고 있다. 그동안 『서정민요』, 『고독의 축복: 워즈워스 시선』, 『사랑의 철학: 셸리 시선』, 『각자와 모두: 에머슨 시선』, 『나의 노래: 휘트먼 시선 1』, 『우연: 하디 시선』, 『비극적 황홀: 예이츠 시선 3』, 『우리는 전달자다: 로렌스 시선 3』, 『황무지: 엘리엇 시선 2』, 『무늬: 에이미 로웰 시선』, 『이미지스트 시인들』과 『여성을 위한 시: 영미 여성 시인선』을 비롯한 백여 종의 영미 시선집을 출간하였다.

윌리엄 블레이크,
마음을 말하면 세상이 나에게 온다

1판 1쇄 발행 2023년 2월 24일

지은이 | 윌리엄 블레이크 엮고 옮긴이 | 김천봉
펴낸이 | 이동국 디자인 | 기민주 펴낸곳 | (주)아이콤마

출판등록 | 2020년 6월 2일 제2020-000104호
주소 | 서울특별시 서초구 사평대로 140, 비1 102호(반포동, 코웰빌딩)
이메일 | i-comma@naver.com
블로그 | https://blog.naver.com/i-comma

ISBN 979-11-970768-9-3 03840

나의 탄생을 주관한 천사가 말했다.

'기쁨과 환희로 만들어진 어린 생명아,

가서 사랑해라, 세상에 도와주는 것이

아무것도 없더라도.'

— 블레이크의 비망록에 적힌 단편

일러두기

1. 이 책은 윌리엄 블레이크의 대표작인 『순수의 노래』(Songs of Innocence, 1789), 『순수와 경험의 노래』(Songs of Innocence and of Experience, 1794), 『천국과 지옥의 결혼』(The Marriage of Heaven and Hell, 1790-1793) 등의 초기 판화본 원전과 그의 습작 시집에서 작품들을 엄선해 수록하였으며, 데이비드 어드만David V. Erdman의 『블레이크 시 전집』(Blake: The Complete Poems, Longman, 1971)을 저본으로 삼아 번역한 것이다.
2. 목차는 초기 판화본 원전의 구성을 기본으로 하되, 현대 독자의 관점에서 더 친근하게 읽히도록 재구성한 것이다. 독자로 하여금 책 한 권으로 블레이크의 철학과 시 세계를 감상할 수 있도록 배려하였다.
3. 본문의 들여쓰기와 행갈이, 굵은 글씨, 큰 글씨는 모두 원전을 기본으로 하였으나, 일부는 예외적으로 이해의 편의를 위해 편집자가 추가하였다.
4. 본문의 주석은 모두 옮긴이의 것으로, 필요한 경우에는 영어 원문을 병기하였다.
5. 주석에 인용된 성서의 구절과 인명, 지명 등은 성서교재간행사의 『현대어 성경』을 기준으로 하였다.

모래 한 알에서 세상을 보고,
들꽃 한 송이에서 천국을 보다

윌리엄 블레이크(William Blake, 1757-1827)는 1757년 11월 28일 영국 런던에서 태어났다. 그는 어려서부터 환영을 보고 미래를 예언하는 비상한 아이였다. 네 살 때 창문으로 머리를 들이민 하나님을 보았고, 아홉 살 무렵에는 시골길을 걷다가 별처럼 반짝이는 날개를 가진 천사들이 주렁주렁 열려 있는 나무를 보았으며, 건초 만드는 농부들 사이로 걸어가는 천사들을 보았다고 주장하였다.

가난한 상인이었던 아버지James Blake는 그런 블레이크에게 거짓말을 한다며 야단쳤으나 또래의 아이들과 달라도 너무 다른 자식을 학교에 그냥 둘 수는 없는 노릇이었다. 열 살이 되던 해 블레이크는 겨우 읽고 쓰는 법을 터득한 채 다니던 학교를 그만두고 자신의 바람대로 미술학교에 입학한다. 그러나 비싼 학비 때문에 그마저도 4년 만에 그만둘 수밖에 없었다. 그 후에 판화가 제임스 버자이어(James Basire, 1730-1802)의 도제로 들어간 블레이크는 7년간의 견습 과정을 거쳐 전문 판화가가 되었고, 1779년 스물두 살의 나이에 왕립 미술원에 입학하여 6년간 수학하였다. 일반적이고 보편적인 진실과 미를 강조한 초대 왕립 미술원장 조슈아 레이놀즈 경(Sir Joshua Reynolds, 1723-1792)이 그의 스승이었다. 그러나 스승의 화법과 화풍에 반발하여 스승의 강론집 여백에다 "일반화는 바보천치나 하는 짓이고 특수화만이 탁월한 가치"라고 써넣었다는 윌리엄 블레이크—그는 스승이 지향한 루벤스 풍의 미완적인 양식보다는 미켈란젤로나 라파엘 풍의 고전적인 정밀성을 추구하였고, 스위스 태생의 또 다른 스승 헨리 퓨젤리(John Henry Fuseli, 1741-1825)의 자극과 격려를 받으며 자신만의 독특하고 환상적인 양식을 발전시켰다.

1782년 8월에 윌리엄 블레이크는 다섯 살 연하의 캐서린 바우처Catherine Boucher라는 여인과 결혼하였다. 캐서린은 결혼서약서에 자신의 이름을 엑스(X)로 표기할 만큼 일자무식의 여인이었다. 그런 아내에게 읽기와 쓰기, 도법까지 가르치고 단련시켜서 자신의 훌륭한 조수로 만들어 놓았다고 하니, 블레이크의 정성과 노력이 참으로 갸륵하다고 아니할 수 없겠다. 마치 에덴동산의 아담과 이브처럼, 알몸으로 정원을 거닐었다는 이 부부—둘 사이에 자식은 없었으나, 블레이크는 임종 직전에 곁에서 울고 있는 아내에게 '케이트, 그대로 가만히 있어요. 나에게 당신은 언제나 천사였소. 당신의 초상화를 그려주리다'라고 하면서 아내의 초상화를 그려주었고(유실됨), 캐서린은 남에게 빌린 돈으로 남편의 장례식을 치르고 나서 식모살이를 하다가 생을 마감했다고 전해진다.

1784년에 블레이크는 판화 가게를 열었으나 몇 년 후에 쫄딱 망하고, 그 후부터 죽을 때까지 책과 잡지의 삽화를 제작하며 궁핍하게 살았다. 그는 에드워드 영Edward Young의 시집 『밤의 상념』(Night Thoughts, 1797), 존 밀턴John Milton의 『실낙원』(Paradise Lost, 1808), 성서의 「욥기」(The Book of Job, 1823-1826) 등의 삽화들을 완성하고, 단테의 『신곡』(The Divine Comedy, 1308-1320)에 관련된 삽화를 제작하다가 미완으로 남겨둔 채 세상을 떴는데, 그 모두가 섬세하고 우아한 선과 장식, 특유의 환상성이 돋보이는 삽화들이라고 평가된다. 윌리엄 블레이크 자신이 쓴 『순수의 노래』(Songs of Innocence, 1789), 『천국과 지옥의 결혼』(The Marriage of Heaven and Hell, 1790-1793), 『순수와 경험의 노래』(Songs of Innocence and of Experience, 1794), 『밀턴』(Milton, 1804-1808), 『예루살렘』(Jerusalem: The Emanation of the Giant Albion, 1804-1820) 등의 시화집 역시 대부분 목판이 아닌 동판에 글자와 그림을 하나하나 새겨 넣고, 채색한 색판들을 번갈아 가며 여러 번 겹쳐 찍는 방식으로 제작되었다. 모두가 고도의 집중력과 많은 시간, 정교한 작업이 필요한 결과물들로, 시집 한 권 한 권이, 아니 시집의 한 면 한 면이 그야말로 색다르고 진귀한 예술작품이다.

그렇게, 블레이크에게는 그림과 시가 하나였다. 그러나 작품을 전시했다가 '미친놈' 소리를 들었다는 일화까지 전해지듯, 그의 시와 시집들도 오랫동안 별다른 관심과 평가를 받지 못하였다. 억제와 질서가 미덕으로 여겨졌던 이성의 시대에 자기만의 상상 속 세계를 자유분방하고 거침없이 표현한 블레이크의 시풍이 당대의 시대 상황과 대중의 취향에 들어맞지 않았던 것이 가장 큰 이유겠으나, 수량이 한정된 시집들의 '희소성'도 크게 한몫했을 것이다. 어쨌거나, 19세기 중반 라파엘전파 화가와 시인들에 의해 그의 '천재성'이 처음으로 부각되었고, 20세기 비평가들에 의해 재평가되면서, 비로소 윌리엄 블레이크는 초기 낭만주의 시대의 주요 시인이자 화가로 인정받게 되었다.

그림을 그리거나 시를 짓는 데 있어서, 윌리엄 블레이크가 시종일관 강조한 것은 이성의 억압적인 성격에 맞서는 상상력, 혹은 내적인 비전의 전복적이고 창조적인 힘이었다. 블레이크는 「순수의 전조」Auguries of Innocence에서 이렇게 말한다.

모래 한 알에서 세상을 보고
들꽃 한 송이에서 천국을 보려면,
그대의 손바닥에 무한을 쥐고
한 시간 속에 영원을 담아라.

To see a World in a Grain of Sand
And a Heaven in a Wild Flower,
Hold Infinity in the palm of your hand
And Eternity in an hour.

블레이크는 또한 매우 급진적인 사상가로서, 그의 시 세계는 빈번하게 헤겔의 정반합 변증법이 적용되고 또 설명된다. 가령, 그의 대표적인 두 시집 『순수의 노래』와 『경험의 노래』에는 제목이 똑같거나 유사한 내용의 작품들이 마치 거울을 마주 보고 있는 듯 서로 대립하고 있다. 블레이크 자신의 표현대로, 서로 "변증법적 대립"을 이루고 있다. '순수'와 '경험'은, 두 시집의 합본 『순수와 경험의 노래』(Songs of Innocence and of Experience, 1794)의 표지에 적힌 표현대로, "인간 영혼의 두 상반된 상태"를 나타낸다. 이를 물질세계에 적용하면 순수한 자연과 타락한 문명 세계, 기독교 신화에 적용하면 인간의 타락 이전 세계와 그 후의 세계를 나타낸다. 블레이크는 이 대립적인 두 세계의 결합("결혼")을 통해 새로운 시대와 세계를 기획하고 전망한다. 『천국과 지옥의 결혼』에서 블레이크는 이렇게 말하고 있다.

> 상반되는 것들이 없이는 어떤 진보도 없다. 끌림과 반발, 이성과 에너지, 사랑과 증오가 인간의 존재에 필요하다.

> Without Contraries is no progression. Attraction and Repulsion, Reason and Energy, Love and Hate, are necessary to Human existence.

윌리엄 블레이크는 미국혁명, 프랑스혁명, 산업혁명과 같은 혁명의 시대를 살았던 시인으로서, 그의 작품들에서 크게 도드라지는 또 하나의 특징이 있다면 예언자의 목소리다. 그는 당대의 역사, 사회, 문화예술, 정치 등 제반 문제들에 자신의 예언적인 전망을 덧씌우고, 그것을 다시 '창조-타락-구원'으로 이어지는 기독교 역사에

합치시켜서, 자신만의 독특한 상징체계로 재창조한 예언자와 같은 시인이었다. 후기 시로 갈수록 그 상징체계 혹은 신화체계가 마치 진화하듯이 복잡해지고 어려워지지만, 초기의 시집들에도 '시는 상상력 혹은 내적인 비전의 표현'이라는 블레이크의 생각, 그의 급진적인 사상과 세계관, 시인-예언자로서의 자의식, 역할, 전망과 같은 독특한 문학적 색깔과 특징들이 매우 분명하게 나타나 있다. 이 모두가 낭만주의 문학의 선구자인 윌리엄 블레이크가 당대와 후대의 시인들 그리고 우리에게 물려준 위대한 유산이다.

2023년 2월

김천봉

차례

Ⅲ. 달콤한 미소들이 기쁨 위를 맴돌 때 : 『순수의 노래』

Ⅳ. 기쁨은 웃지 않고 슬픔은 울지 않는다 : 『경험의 노래』

Ⅴ. 분노를 말하지 않으니 분노가 자랐다 : 『경험의 노래』

VI. 봄은 꽃 피는 환희를 숨길 수 없기에 :『경험의 노래』

VII. 사랑과 증오는 한 가지에서 만난다 :『천국과 지옥의 결혼』

유모의 노래

Nurse's Song

—『순수의 노래』에 수록

아이들의 목소리가 녹색 풀밭에서 들리고
웃음소리가 언덕에서 들릴 때면,
나의 심장은 내 가슴속에서 쉬고
세상만사가 다 고요합니다.

"이제 집에 가야지, 얘들아, 해가 지고
밤이슬이 맺히는구나,
어서, 어서, 그만 놀고 가자꾸나,
다시 아침이 하늘에 밝을 거야."

"싫어, 싫어, 더 놀아, 아직 낮이잖아,
우린 자러 가지 않을 거야.
아직, 하늘에서 작은 새들이 날아다니고
언덕들도 온통 양 떼로 뒤덮여 있잖아."

"그래, 그래, 가서 놀아라, 햇빛이 사라지면
그때 집에 가서 자자꾸나."
어린것들은 뛰고 소리치고 깔깔거렸고
온 언덕들이 메아리쳤습니다.

유모의 노래

Nurse's Song

—『경험의 노래』에 수록

아이들의 목소리가 녹색 들판에서 들리고
속삭이는 소리들이 골짝에 깃들 때면,
내 청춘의 날들이 마음속에 새록새록 살아나서
나의 얼굴도 푸르게 파릇하게 변합니다.

이제 집에 가야지, 얘들아, 해가 지고
밤이슬이 맺히는구나.
너희의 봄과 너희의 낮도 헛되이 놀다 보면
어느새 너희의 겨울과 너희의 밤으로 변한단다.

아기 기쁨이

Infant Joy

—『순수의 노래』에 수록

"나에게는 이름이 없어요—
겨우 이틀 전에 태어났거든요."
내가 너를 뭐라고 부르지?
"난 행복해요,
기쁨이 나의 이름이에요."
달콤한 기쁨이 너를 찾아오기를!

예쁜 기쁨아!
겨우 이틀 전에 태어난 달콤한 기쁨아,
나도 너를 달콤한 기쁨이라고 부를게.
너는 미소하려무나,
그사이에 나는 노래할게—
달콤한 기쁨이 너를 찾아오기를!

아기 슬픔이

Infant Sorrow

—『경험의 노래』에 수록

엄마는 끙끙 앓고, 아버지는 울었어요—
위험한 세상으로 나는 뛰어들어,
무력하게, 벌거벗고, 빽빽 울었어요
마치 구름 속에 숨은 악마처럼.

아버지의 손아귀에서 발버둥치고
포대기 끈을 벗어나려 버둥거렸지만,
묶인 채로 지친 나는 엄마 가슴에 안겨
앵돌아지면 그만이라고 생각했어요.

순수의 전조

Auguries of Innocence

모래 한 알에서 세상을 보고
들꽃 한 송이에서 천국을 보려면,
그대의 손바닥에 무한을 쥐고
한 시간 속에 영원을 담아라.
새장 속의 붉은 가슴 울새가
온 하늘을 격분시킨다.
산비둘기와 집비둘기로 가득한 비둘기-집이
지옥의 전역을 떨게 한다.
주인집의 문 앞에서 굶어 죽은 개가
나라의 파멸을 예시한다.
한길에서 혹사당하는 말이
하늘에 소리쳐 인간의 피를 부른다.
쫓기는 산토끼가 비명을 지를 때마다
인간의 뇌에서 섬유조직이 찢어진다.
한 종달새가 날개를 다치면
한 천사가 노래를 멈춘다.
싸움을 위해 깃털이 깎이고 무장한 싸움닭이
떠오르는 태양을 흠칫 놀라게 한다.

늑대와 사자가 울부짖을 때마다
지옥에서 한 인간의 영혼이 깨어난다.
이리저리 어슬렁거리는 야생 사슴이
인간 영혼의 근심을 잊게 한다.
어린양은 학대당하면 사회의 싸움을 낳지만
도살업자의 식칼을 용서한다.
저녁의 끝 무렵에 훌쩍 날아가는 박쥐는
잘 믿지 않는 뇌를 두고 떠난 것이다.
밤에 찾아오는 올빼미가
그 불신자의 공포를 이야기한다.
작은 굴뚝새에게 상처를 주는 자는
절대로 사람들의 사랑을 받지 못할 것이다.
황소를 흥분시켜 성나게 만든 자는
절대로 여자의 사랑을 받지 못할 것이다.
파리를 죽이는 개구쟁이 소년은
거미의 적개심을 절감하게 될 것이다.
풍뎅이의 영혼을 괴롭히는 자는
끝없는 밤에 은신처를 짓는다.
나뭇잎에 붙어 있는 애벌레가
그대에게 그대 어머니의 비탄을 되풀이한다.
나방도 나비도 죽이지 마라
최후의 심판이 가까이 이르렀으니.
전쟁에 나가려고 말을 훈련하는 자는

결코 천국의 문에 들어서지 못할 것이다.
거지의 개와 과부의 고양이—
그들에게 먹이를 주면 그대도 살찔 것이다.
여름 노래를 부르는 각다귀는
헐뜯는 자의 혀에서 독을 얻는다.
뱀과 영원의 독은
질투의 발에서 나는 땀이요,
꿀벌의 독은
예술가의 시샘이다.
왕자의 예복과 거지의 누더기는
구두쇠의 가방에 핀 독버섯들이다.
나쁜 의도로 이야기된 진실이
그대가 꾸며낼 수 있는 모든 거짓을 쳐부순다.
마땅히 그렇게 되어야 한다.
사람은 기쁨과 슬픔을 위해 창조되었고
우리가 이것을 올바로 알 때
비로소 우리는 안전하게 세상을 살아나간다.
기쁨과 슬픔은 섬세하게 짜여있는
신성한 영혼의 옷과 같다.
모든 고통과 갈망 속에
기쁨이 비단처럼 누벼져 있다.
아기는 똥싸개 이상의 존재다.
사람이 사는 모든 땅에서

도구들이 만들어졌고 일손들이 태어났다—
모든 농부가 알고 있다.
모든 눈에서 흐르는 모든 눈물이
영원한 세상에서 아기가 되고,
이 아기가 발랄한 여성들의 몸에 배어들어
기쁘게 되살아난다.
그 울고, 소리치고, 울부짖고 왁자하게 웃는 소리는
천국의 해변을 치는 파도들이다.
매 맞아 우는 아기는
죽음의 영역에 '복수!'를 써놓는다.
허공에서 휘날리는 거지의 누더기가
하늘나라를 갈기갈기 찢어놓는다.
검과 총으로 무장한 군인이
여름의 태양을 엄습하여 마비시킨다.
가난한 사람의 푼돈이
아프리카 해변에 널린 모든 황금보다 값지다.
잔돈이라도 노동자의 손에서 뜯어내면
구두쇠의 토지를 사고팔 것이요,
하늘의 보살핌을 받는다면
그 돈으로 온 나라도 팔고 산다.
아기의 믿음을 조롱하는 자는
늙어 죽어서도 조롱당할 것이다.
아이에게 의심하라고 가르치는 자는

썩어가는 무덤이 절대 내보내지 않을 것이다.
아기의 믿음을 존중하는 이는
지옥도 죽음도 이겨낸다.
아이의 장난감과 늙은이의 지각력은
두 계절의 열매들이다.
아주 교활하게 앉아 있는 질문자는
결코 대답하는 법을 모른다.
의심스러운 말들에 응답하는 자가
지식의 불을 꺼버린다.
지금껏 알려진 가장 강력한 독은
시저의 월계관에서 생겨났다.
갑주의 쇠 걸쇠만큼
인류를 불구로 만드는 것은 없다.
금과 보석이 쟁기를 장식하면
질투마저도 평화로운 예술에 절을 한다.
수수께끼, 혹은 귀뚜라미의 울음소리가
의심에는 적절한 대답이다.
개미의 소심함과 독수리의 대범함이
절름발이 철학을 미소하게 만든다.
자기가 직접 보고도 의심하는 자는
상대가 뭘 해도 절대 믿지 않는다.
해와 달이라도 의심을 하면
그 즉시 빛을 잃고 말 것이다.

화를 내는 것은 이로울 수 있으나
화를 품고 있으면 좋지 않다.
국가의 허가를 받은 창녀와 노름꾼이
그 나라의 명운을 좌지우지한다.
거리에서 거리로 울려 퍼지는 창녀의 비명이
늙은 영국을 감싸는 수의를 짤 것이요,
딴 자의 환호성, 잃은 자의 저주가
죽은 영국의 영구차 앞에서 춤을 출 것이다.
밤마다 아침마다
누군가는 태어나 불행해지고
밤마다 아침마다
누군가는 태어나 달콤한 기쁨을 누린다.
누군가는 태어나 달콤한 기쁨을 누리고
누군가는 태어나 끝없는 밤을 만난다.
영혼이 빛줄기들에 싸여 잠들었을 때는
어느 밤에 태어나 어느 밤에 죽어버린 거짓이라도
우리는 눈을 통해 보지 않으면
그 거짓을 믿게 된다.
밤에 사는 가련한 영혼들에게
하나님은 나타나고 하나님은 빛이지만
낮의 영토에서 사는 이들에게는
사람의 형상을 드러낸다.

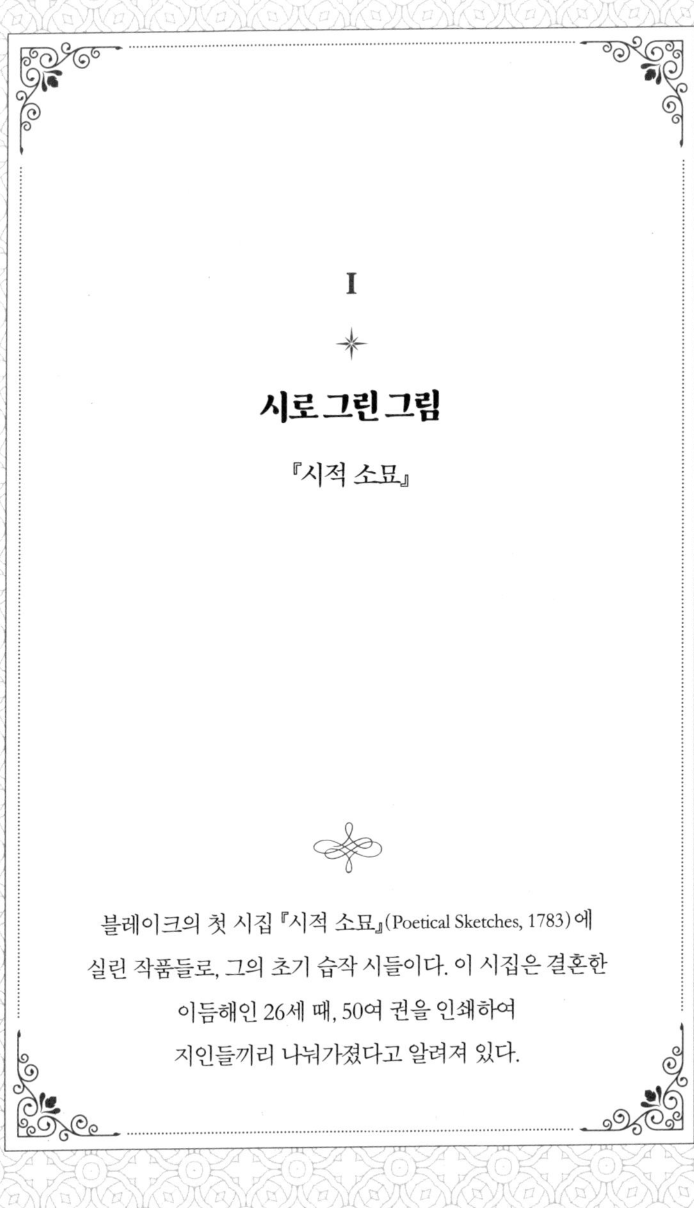

I

시로 그린 그림

『시적 소묘』

블레이크의 첫 시집 『시적 소묘』(Poetical Sketches, 1783)에 실린 작품들로, 그의 초기 습작 시들이다. 이 시집은 결혼한 이듬해인 26세 때, 50여 권을 인쇄하여 지인들끼리 나눠가졌다고 알려져 있다.

아침에게

To Morning

순백의 옷을 입은 오 거룩한 처녀여,
천국의 금문을 열고 나오라
하늘에 잠들어 있는 새벽을 깨워라, 동녘의
방들에서 빛을 일으키고 꿀 같은 이슬을
데려와서 깨어나는 낮에 달아주어라.
오 눈부신 아침이여, 일어나서 사냥꾼처럼
추적에 나서는 해에게 인사를 건네고
고결한 발걸음으로 우리의 언덕에 나타나라.

봄에게

To Spring

아침의 맑은 창문들을 통해 내려다보는
이슬 젖은 머리칼의 오 봄이여,
너의 천사 눈을 돌려 우리 서쪽 섬을 보아다오
벅찬 합창으로 다가오는 너를 환호하나니, 오 봄이여!

언덕들이 서로 이야기하고 계곡들이
귀여겨듣고 우리의 갈망하는 눈들이 모두
너의 밝은 하늘을 쳐다보나니. 어서 오라
너의 거룩한 발길로 우리 땅을 찾아오라.

동쪽의 언덕들을 넘어오라. 이 땅의 바람들이
너의 향긋한 옷깃에 입을 맞추고 우리가
너의 아침과 저녁 숨결을 맛보게 해다오. 네가 그리워서
상사병에 걸린 이 땅에 너의 진주 이슬을 흩뿌려다오.

너의 고운 손가락으로 이 땅을 꾸며다오. 이 땅의
가슴에 너의 부드러운 키스를 퍼부어, 이 땅의
시들어버린 머리에 너의 금빛 화관을 씌워다오
수수한 머리칼이나마 너를 위해 묶었나니.

여름에게

To Summer

우리의 계곡들을 힘차게 지나가는 오 여름이여,
너의 맹렬한 말들에 재갈을 물려 그 큰 콧구멍들에서
타오르는 열기를 누그러뜨려다오! 오 여름이여,
네가 종종 여기에 금빛 천막을 치고 네가 종종
우리 참나무 밑에서 잠을 자는 사이에, 우리는 기쁘게
너의 볼그레한 팔다리와 무성한 머리칼을 바라보았지.

우리의 아주 짙은 그늘 밑에 있다가, 한낮이
뜨거운 화차를 타고 하늘의 심연을 내달릴 때면
우리는 종종 너의 목소리를 듣곤 했나니. 우리의 샘가에
앉아라. 그리고 우리의 이끼 무성한 계곡으로 흐르는
맑은 강의 둑 위에 너의 비단옷을 벗어서
던져놓고, 강물 속으로 뛰어들어라.
우리의 계곡들은 득의양양한 여름을 사랑하나니.

우리 시인들은 은줄을 켜는 명인들이요
우리 청년은 남쪽 시골뜨기들보다 담대하고
우리 소녀들은 명랑한 춤을 출 때 더욱 곱나니.
우리에게는 노래도, 즐거운 악기도 부족하지 않고
즐거운 메아리도, 하늘처럼 맑은 물도,

무더위에 맞설 월계수 화관도 부족하지 않으니.

가을에게

To Autumn

주렁주렁 열린 열매에, 핏방울 같은 포도로
물든 오 가을이여, 그냥 지나가지 말고
나의 그늘진 지붕 밑에 앉아라! 거기서 쉬면서
나의 맑은 피리 소리에 너의 행복한 목소리를 맞춰보아라
그러면 올해의 딸들이 모두 춤을 출 테니.
자 열매와 꽃들의 풍성한 노래를 불러보아라.

"작은 꽃봉오리가 피어나 자신의 미모를 햇살에
드러내고, 사랑이 그 두근거리는 잎맥으로 흘러드네.
꽃들이 아침의 이마에 두루 맺히고, 활짝
피어나서 수수한 저녁의 밝은 뺨으로 늘어지네.
마침내 송이송이 맺힌 여름이 노래를 시작하고
깃털 구름이 여름의 머리 주변에 꽃들을 흩뿌리네.

공기의 정령들은 과일의 향기를 먹고
살고, 기쁨이 가벼이 날갯짓하며 정원을
돌아다니다가, 나무들 사이에 앉아 노래하네."
그렇게 행복한 가을이 앉아서 노래하다가
일어나, 허리띠를 졸라매고 쓸쓸한 언덕을 넘어
우리의 시야에서 사라졌네 — 금빛 열매들을 남겨두고서.

겨울에게

To Winter

오 겨울이여, 너의 철석같은 문들을 걸어 잠가라.
북쪽은 너의 영토, 그곳에 너는 너의 어둡고
깊은-기반의 거처를 지었나니. 너의 강철차로
너의 지붕을 흔들지 마라, 너의 기둥들을 구부리지 마라.

겨울은 나의 말을 듣지 않고, 그 하품하는 심연을
묵직하게 밟고 내달린다. 겨울의 폭풍들이 풀려난다.
늑골처럼 짜인 강철에 싸여, 나는 감히 눈을 못 든다
겨울이 자신의 홀[1]을 쳐들어 세상을 장악하고 말았기에.

보라! 살갗이 강력한 뼈들에 착 들러붙은
그 무서운 괴물이 지금, 신음하는 바위들을 짓밟고 내달린다.
그가 조용히 만물을 시들게 하고, 그의 손이
대지를 발가벗기고 연약한 생명을 꽁꽁 얼어붙게 한다.

겨울이 절벽 위에 자리를 잡은 이상, 선원이
소리쳐도 소용없다. 폭풍과 타협하는 불쌍하고
가여운 사람아! — 결국 하늘이 미소하면, 그 괴물이
고함치며 헤클라산[2] 밑의 자기 동굴로 쫓겨나리니.

광상곡

Mad Song

사나운 바람이 흐느끼고
밤이 으스스하구나
어서 오라, 잠이여,
나의 슬픔을 감싸다오.
그런데 보라! 아침이 벌써
동쪽 절벽을 넘어다보고
새벽의 바스락거리는 새들이
대지를 비웃는구나.

보라! 빽빽이 휘덮인
하늘의 둥근 천장으로
슬픔을 가득 실은
나의 노래들이 날아간다.
그 노래들이 밤의 귀를 두드리고
낮의 눈을 눈물짓게 하나니
으르렁대는 바람을 미치게 만들고
폭풍우와 장난치나니.

구름 속에 숨은 마귀처럼
울부짖는 고뇌에 차서

나는 밤을 지새우고
또 밤과 함께 지내련다
나의 등을 동쪽으로 돌리련다.
그쪽에서 내내 위안을 얻었지만
이제는 빛이 나의 머리를 움켜쥐고
미칠 듯이 괴롭히기에.

노래: 기억아, 이리 와서

Song: Memory, Hither Come

기억아, 이리 와서
너의 명랑한 곡조를 조율해다오.
그러면 바람 타고
너의 음악이 떠다니는 동안,
나는 속삭이는 연인들이 꿈꾸는
냇물을 주시하고 있다가
그 물거울 속에서
지나가는 환상들을 낚아챌 테니.

나는 그 맑은 냇물을 마시고
홍방울새의 노래를 들을 테니
또 거기에 누워 꿈을 꾸며
낮을 보낼 테니.
그러다가 밤이 오면, 나는
고뇌에 적합한 장소로 가서
말 없는 우울을 벗 삼아
어두워진 계곡을 따라 걸을 테니.

노래: 나는 명랑한 춤을 좋아해

Song: I Love the Jocund Dance

나는 명랑한 춤을 좋아해
조용히 — 속삭이는 노래를 좋아해
순진한 눈들이 흘긋 보는 춤과
소녀가 혀짤배기소리로 부르는 노래를.

나는 웃는 계곡을 좋아해
나는 메아리치는 언덕을 좋아해
웃음소리가 끊이지 않고
쾌활한 시골 소년이 마음껏 웃는 곳을.

나는 즐거운 오두막을 좋아해
나는 청정한 나무 그늘을 좋아해
흰색과 갈색이 어우러진 우리 집
아니면 한낮에 열매가 영그는 그늘을.

나는 떡갈나무 아래 있는
떡갈나무 평상을 좋아해
마을 노인들이 모두 모여
우리의 놀이를 구경하며 웃는 곳을.

나는 우리의 이웃들을 모두 좋아해
하지만 키티, 난 너를 제일 좋아해.
나는 앞으로도 그들을 계속 좋아할 거야
하지만 네가 나에게는 전부야.

II

어린 시절에는 메아리치는 녹색 풀밭에서 놀았지

『순수의 노래』

『순수의 노래』(Songs of Innocence, 1789)는 어려서부터 환영을 보고 천사를 목격했다는 블레이크가 그의 신비로운 경험들을 담아 저술한 대표작이다. 이 장에 수록된 작품들은 그가 5년 후 출간한 합본 『순수와 경험의 노래』(Songs of Innocence and of Experience, 1794)의 1부 『순수의 노래』에 실린 시들로, 태초의 자연과 어우러진 순수하고 아름다운 영혼을 노래한다.

William Blake, Songs of Innocence and of Experience, Plate 2, Innocence Title Page (Bentley 3), recto, 1789, Yale Center for British Art, Paul Mellon Collection, B1978.43.1547.

서시

Introduction

거친 산골짝 아래로 피리를 불다가
즐거운 기쁨의 노래들을 부르다가,
구름 위에 있는 한 아이[1]를 나는 보았습니다
그 아이가 웃으며 나에게 말했습니다.

"어린 양[2]에 대한 노래를 불어보렴."
그래서 나는 명랑하고 발랄하게 피리를 불었습니다.
"피리 가수야, 그 노래를 다시 불어주렴."
그래서 나는 피리를 불었고, 그는 듣고 울었습니다.

"너의 피리, 너의 행복한 피리를 내려놓고
너의 행복한 환호의 노래들을 불러보렴."
그래서 나는 같은 노래를 다시 불렀습니다
그 사이에 그는 듣고 기쁘게 울었습니다.

"피리 가수야, 앉아서 책으로 써보렴
모두가 읽을 수 있도록."
이내 그는 나의 시야에서 사라졌고,
나는 속이 빈 갈대 하나를 꺾었습니다.

그리고 나는 시골풍의 펜을 만들었습니다
그리하여 나는 맑은 물에 적시어
나의 행복한 노래들을 적었습니다
모든 아이가 듣고 기뻐할 수 있도록.

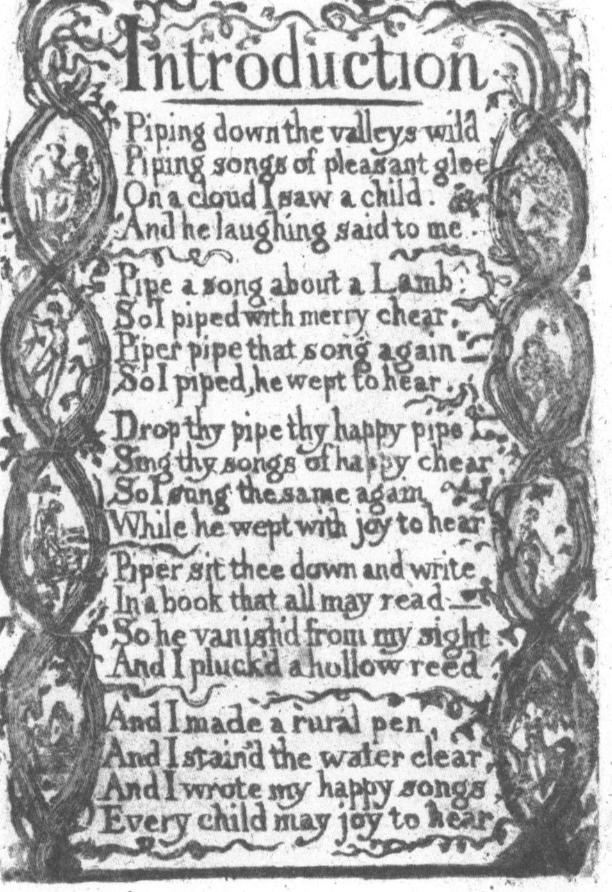

Introduction

Piping down the valleys wild
Piping songs of pleasant glee
On a cloud I saw a child.
And he laughing said to me.

Pipe a song about a Lamb;
So I piped with merry chear,
Piper pipe that song again—
So I piped, he wept to hear.

Drop thy pipe thy happy pipe
Sing thy songs of happy chear,
So I sung the same again
While he wept with joy to hear

Piper sit thee down and write
In a book that all may read—
So he vanish'd from my sight
And I pluck'd a hollow reed.

And I made a rural pen,
And I staind the water clear,
And I wrote my happy songs
Every child may joy to hear

William Blake, Songs of Innocence and of Experience, Plate 3, "Introduction" (Bentley 4), recto, 1789, Yale Center for British Art, Paul Mellon Collection, B1978.43.1548.

목동

The Shepherd

목동으로 즐겁게 살면 얼마나 행복할까요—
아침부터 저녁까지 목동은 돌아다닙니다!
그는 온종일 자신의 양 떼를 따라다니니
그의 혀는 찬양의 노래로 가득 차겠지요.

목동은 어린 양들의 순결한 울음소리와
어미 양들의 상냥한 호응 소리를 들으니까요.
목동이 지켜보는 동안에 양들은 편안합니다
자기들의 목동이 가까이 있으면 양들도 아니까요.

꽃

The Blossom

즐겁고 즐거운 참새야,
짙푸른 나뭇잎들 밑에서
행복한 꽃송이가
화살처럼 날쌘 너를 보나니
너의 좁다란 요람을 찾아
나의 품으로 다가오려무나.

예쁘고 예쁜 울새야,
짙푸른 나뭇잎들 밑에서
행복한 꽃송이가
훌쩍, 훌쩍이는 너의 소리를 듣나니
예쁘고 예쁜 울새야,
나의 품으로 다가오려무나

메아리치는 녹색 풀밭

The Echoing Green

태양이 떠올라
온 하늘을 기쁘게 합니다.
명랑한 종들이 울리며
봄을 반깁니다.
종달새와 개똥지빠귀,
수풀의 새들이
종들의 즐거운 소리에 맞추어
사방에서 더욱 드높이 노래합니다.
이윽고 메아리치는 녹색 풀밭에서
뛰어노는 우리들이 보일 것입니다.

하얀 머리칼의 존 할아버지가
떡갈나무 아래 앉아
노인들과 함께 껄껄껄
웃으며 걱정을 털어 버립니다.
다들 노는 우리를 보며 껄껄껄
모두 한목소리로 말합니다.
"저렇게들, 저렇게들 즐거웠지
우리 모두, 소녀와 소년이었던
어린 시절에는 우리도

메아리치는 녹색 풀밭에서 놀았지."

어린아이들이 지쳐서
더 이상 즐겁게 놀지 못할 즘에
해가 떨어지고
우리의 놀이도 끝납니다.
저마다 자기 엄마의 무릎 주변에서
여러 자매와 형제들이
마치 둥지 안의 새들처럼
쉴 준비를 하고—
어두워가는 녹색 풀밭에서
노는 모습은 보이지 않을 것입니다.

다른 사람의 슬픔에 대하여

On Another's Sorrow

다른 사람의 비애를 보면
나 역시 슬퍼지지 않나요?
다른 사람의 고통을 보면
다정하게 위로해 주고 싶지 않나요?

흐르는 눈물을 보면
슬픔을 나누고 싶지 않나요?
우는 자식을 보면
아버지는 다 슬픔으로 가득 차지 않나요?

아기가 신음하고, 아기가 무서워하는데
엄마가 앉아서 듣고만 있나요?
아니에요, 아니야, 절대 그러지 못합니다
절대, 절대로 그러지 못합니다!

만물에 미소하는 그분도
슬픔에 겨운 굴뚝새의 가냘픈 소리를 들으면
그 작은 새의 비탄과 걱정 소리를 들으면
아기들이 겪는 불행의 소리를 들으면

그 둥지 곁에 앉아서
한없이 가여워하고 있지 않겠어요?
또 그 요람 가까이 앉아서
아기의 눈물에 눈물을 흘리고 있지 않겠어요?

밤에도 낮에도 앉아서
우리의 눈물을 모두 닦아주지 않겠어요?
오, 맞아요, 당연히 그런답니다
당연히, 당연히 그런답니다!

그분은 자신의 기쁨을 모두에게 줍니다.
그분은 작은 아기가 됩니다.
그분은 비통한 어른이 됩니다.
그분은 그 슬픔 역시 절감합니다.

당신이 한숨을 쉬는데
당신을 만든 분이 곁에 없다고 생각하지 마세요.
당신이 눈물을 흘리는데
당신을 만든 분이 가까이에 없다고 생각하지 마세요.

오, 그분은 우리에게 자신의 기쁨을 주시어
우리의 슬픔을 파괴하니까요.
우리의 슬픔이 달아나 사라질 때까지
그분도 우리 곁에 앉아서 신음하니까요.

봄

Spring

피리를 불어요!
이제 그 소리가 멎고
새들이 기뻐합니다
낮에도 밤에도.
나이팅게일은
골짝에서
종달새는 하늘에서
즐겁게,
즐겁게, 즐겁게 새해를 반깁니다.

어린 소년은
기쁨으로 가득합니다.
어린 소녀는
곱고 귀엽습니다.
수탉이 꼬끼오 웁니다.
다들 따라 합니다.
즐거운 목소리
아기의 떠들썩한 소리가
즐겁게, 즐겁게 새해를 반깁니다.

어린 양아

이리 오렴.

다가와서 나의

하얀 목을 핥으렴.

내가 너의 부드러운 털을

당겨보게 해주렴

내가 너의 폭신한 얼굴에

입 맞추게 해주렴.

즐겁게, 즐겁게 우리는 새해를 반깁니다.

William Blake, "Spring", from Songs of Innocence, recto, ca. 1795,
Yale Center for British Art, Paul Mellon Fund, B1978.1.1.

웃는 노래

Laughing Song

푸른 숲이 기쁜 목소리로 웃고
잔물결 이는 냇물이 웃으며 흘러갈 때
하늘이 우리의 명랑한 재치에 웃고
푸른 언덕이 저만의 소리로 웃을 때

초원이 싱그러운 녹색으로 웃음 짓고
여치가 그 즐거운 정경에서 웃을 때
메리와 수잔과 에밀리가
예쁜 둥근 입술로 하, 하, 히 노래할 때!

다색의 새들이 버찌와 땅콩들이 널려 있는
우리 식탁 그늘에 숨어 웃을 때
활기차게 명랑하게 나와 함께
즐거운 후렴을 불러보아요, 하, 하, 히!

밤

Night

해가 서쪽으로 지고
저녁별이 반짝입니다.
새들은 둥지에서 조용하고
나도 보금자리를 찾아야겠습니다.
달님이 한 꽃송이처럼
하늘의 드높은 침실에서
고요하고 기쁜 얼굴로
앉아서 밤에게 미소합니다.

잘 자, 녹색 들판과 행복한 숲들아,
양 떼가 즐거이 뛰놀던 곳
양들이 풀을 뜯던 그곳에서 빛나는
천사들의 발이 고요히 움직입니다.
보이지 않는 그들이 축복과
기쁨을 끊임없이 쏟아붓습니다
낱낱의 싹과 꽃에
그리고 낱낱의 잠든 가슴에.

천사들이 모든 허술한 둥지를 들여다보고
새들을 포근하게 덮어줍니다.

천사들이 모든 짐승의 동굴들에 들러
해를 입지 않게 모두를 지켜줍니다.
벌써 잠들었어야 할 시간에
혹시 울고 있는 이라도 보면
천사들이 그 머리에 잠을 부어주고
침대 곁에 앉아 있습니다.

늑대와 호랑이가 먹이를 차지하려고 울부짖으면
천사들이 가여워하며 막아서서 눈물을 흘립니다—
그들의 갈증을 없애주려 애를 쓰면서
그들이 양들에게 다가가지 못하게 막습니다.
그러나 그들이 무섭게 달려들어도
천사들은 아주 세심해서
온순한 영혼을 모두 받아들여
새로운 세상을 물려줍니다.

그러면 사자의 불그레한 눈이
어느새 금빛의 눈물을 흘리고,
그 여린 울음소리들이 가여워서
우리 주변을 돌며 이렇게
말합니다. "그분의 온순함에 분노가
또 그분의 건강함에 병이
우리의 영원한 세상에서
다 사라져 버렸단다.

그래서 음매 우는 양아, 이제 네 곁에서
나도 누워 잘 수 있단다.
또 너의 이름을 지닌 그분을 생각하며
너처럼 풀을 뜯고 울 수도 있단다.
생명의 강물[3]에 씻겼으니
나의 빛나는 갈기도 영원히
황금처럼 빛날 거야
내가 우리를 지키는 내내."

III

달콤한 미소들이 기쁨 위를 맴돌 때

『순수의 노래』

이 장에 수록된 작품들은 『순수와 경험의 노래』의 1부 『순수의 노래』에 실린 시들로, 순수한 자연과 목가적인 조화로움을 바탕으로 한 기독교적 세계관이 잘 표현되어 있다. 그러면서도 일견 취약한 상태에 놓이기 쉬운 현실의 위험성을 미묘하게 드러낸다.

자장가

A Cradle Song

달콤한 꿈들아, 내 사랑스러운 아기의
머리 위로 그늘을 드리워라
행복하고 고요한 달빛에
즐거운 냇물 소리 들리는 달콤한 꿈들아.

달콤한 잠아, 너의 포근한 솜털
눈썹으로 아기에게 왕관을 짜주어라.
달콤한 잠, 온화한 천사야,
나의 행복한 아기 위를 맴돌아라.

달콤한 미소들이 밤이면
나의 기쁨 위를 맴돈단다.
달콤한 미소, 엄마의 미소들이
밤새도록 기쁘게 한단다.

달콤한 신음, 비둘기 같은 한숨도
너의 눈에서 잠을 쫓아내지 못한다!
달콤한 신음, 비둘기 같은 신음도 다
더 달콤한 미소들이 없애줄 테니.

자라, 자라, 행복한 아이야.
세상 만물이 벌써 잠들어 미소했단다.
자라, 자라, 행복한 잠을,
너를 굽어보며 엄마는 울더라도.

고운 아가, 너의 얼굴에서
성스러운 형상이 보이는구나.
옛날에 고운 아기님, 너를 창조하신 분도
너처럼 누워서 나를 위해 울었단다.

그분이 자그마한 아기였을 때
나를 위해, 너를 위해, 모두를 위해 울었단다.
네가 부디 그분의 형상을, 너에게
미소하는 거룩한 얼굴을 만나기를—

너에게, 나에게, 모두에게 미소하는 분
옛날에 자그마한 아기가 되었던 그분을.
아기의 미소는 바로 그분의 미소란다
하늘과 땅을 평화롭게 하는 미소란다.

양

The Lamb

어린 양아, 누가 너를 만들었지?
누가 너를 만들어, 너에게
생명을 주고 시냇가와 풀밭 위에서
마음껏 먹게 해주었는지 아니—
누가 너에게 기쁨의 옷
보들보들하고 밝은 털옷을 줬는지,
누가 너에게 온 계곡을 기쁘게 하는
그리 부드러운 목소리를 줬는지 아니?
어린 양아, 누가 너를 만들었지?
누가 너를 만들었는지 아니?

어린 양아, 내가 너에게 말해줄게
어린 양아, 내가 너에게 말해줄게.
그분은 너의 이름으로 불린단다.[1]
그분은 자기를 양이라고 부르니까.
그분은 온순하고 그분은 온화하셔
그분은 어린아이로 태어나셨단다.
나는 아이, 그리고 너는 양
우리는 그분의 이름으로 불린단다.
어린 양아, 하나님이 너를 축복하기를!

어린 양아, 하나님이 너를 축복하기를!

The Lamb

Little Lamb who made thee
Dost thou know who made thee
Gave thee life & bid thee feed.
By the stream & o'er the mead;
Gave thee clothing of delight,
Softest clothing wooly bright;
Gave thee such a tender voice,
Making all the vales rejoice:
Little Lamb who made thee
Dost thou know who made thee

Little Lamb I'll tell thee,
Little Lamb I'll tell thee:
He is called by thy name,
For he calls himself a Lamb:
He is meek & he is mild,
He became a little child:
I a child & thou a lamb,
We are called by his name.
Little Lamb God bless thee.
Little Lamb God bless thee.

William Blake, Songs of Innocence, Plate 8, "The Lamb" (Bentley 8), recto, 1789, Yale Center for British Art, Paul Mellon Collection, B1992.8.12(6).

성 목요일

Holy Thursday

성 목요일이었습니다. 순진한 얼굴들을 깨끗이 씻은
아이들이 빨강 파랑 초록 옷[2]을 입고 둘씩 짝지어 걷고,
백발의 교구 직원들이 눈처럼 하얀 지휘봉을 들고 앞서 걸어가다가
성 바울 성당의 높은 돔으로 모두가 템스강의 물결처럼 흘러 들어갑니다.

아, 이 런던 시내의 꽃들이 정말 무수히 피어난 것 같았습니다!
저마다 특유의 광휘를 발하며, 사람들 사이에 앉아 있었습니다.
많은 사람들이 웅성거리는 가운데, 많은 어린 양들
수천의 어린 소년들과 소녀들이 각자의 순결한 두 손을 쳐들었습니다.

드디어 굉장한 바람처럼 그들이 하늘로 노랫소리를 드높입니다.
아니 천국 곳곳에 울려 퍼지는 조화로운 천둥소리 같습니다.
그 밑에는 노인들, 빈자들의 현명한 보호자들[3]이 앉아 있습니다.
부디 동정심을 품고, 천사를 문밖으로 쫓아내지 않기를 바랍니다.[4]

신의 형상

The Divine Image

자비, 연민, 평화와 사랑을 달라고
괴로워하는 모두가 기도합니다
그리고 이 기쁨의 미덕들에
고마운 마음을 돌립니다.

자비, 연민, 평화와 사랑을 위해
사랑하는 우리의 아버지 하나님이 계십니다
그리고 자비, 연민, 평화와 사랑이
바로 그분의 귀한 자식, 사람입니다.

자비는 사람의 가슴을 지녔습니다.
연민은 사람의 얼굴을,
사랑은 성스러운 사람의 형상을 지녔습니다
그리고 평화는 사람의 옷입니다.

그러기에 괴로워서 기도하는
모든 땅의 모든 사람이 저마다
성스러운 사람의 형상에게—
사랑, 자비, 연민과 평화를 비는 것입니다.

그러니 모두가 사람의 형상을 사랑해야 합니다
이교도든, 회교도든 유대인의 형상이든
자비, 사랑과 연민이 머무는 곳
그곳에 하나님 또한 살고 계시니까요.

William Blake, Songs of Innocence, Plate 12, "The Divine Image" (Bentley 18), recto, 1789, Yale Center for British Art, Paul Mellon Collection, B1992.8.12(8).

어린 흑인 소년

The Little Black Boy

우리 엄마가 남쪽의 야생에서 나를 낳았어.
그래서 난 까매. 하지만 오, 나의 영혼은 하얘.
영국 아이는 천사처럼 하얗지
하지만 나는 마치 빛을 잃어버린 듯이 까맣지.

우리 엄마가 나무 아래서 나를 가르쳤어.
한낮의 무더위를 앞에 두고 앉아
엄마가 나를 자기 무릎에 앉히고 나에게 키스했지
그리고 동쪽을 가리키며 이렇게 말했어.

"떠오르는 해를 보렴. 저곳에서 하나님이 살면서
그분의 빛을 주시고, 그분의 열기를 보내주신단다.
그래서 꽃과 나무와 짐승들과 사람들이
아침에 위로받고 한낮에 기쁨을 누린단다.

그리고 우리는 대지에 잠시 머물 뿐이기에
그 사랑의 광선을 견디는 법을 배워야 한단다.
그러면 이 까만 몸과 이 볕에-탄 얼굴도
구름 같고, 그늘진 숲 같은 것에 불과하단다.

우리의 영혼이 열기를 참는 법을 배우고 나면
구름이 걷히고, 우리에게 말하는 그분의 목소리가
들릴 거야. '그 숲에서 나오너라, 나의 사랑하는 아이들아,
나의 금빛 천막 주변에서 어린양들처럼 기뻐하여라.'"

그렇게 우리 엄마가 말하며, 나에게 키스했어.
그래서 나도 어린 영국 소년한테 이렇게 말해.
내가 까만 구름, 걔가 하얀 구름에서 벗어나
하나님의 천막 주변에서 어린양들처럼 함께 기뻐하는 날

걔가 기뻐하며 우리 아버지의 무릎에 기댈 수 있을 때까지
내가 그의 그늘이 되어 열기를 가려주겠다고
또 내가 일어나서 걔의 은빛 머리칼을 쓰다듬어 주고
그의 동무가 되면, 그 아이도 나를 사랑할 것이라고.

굴뚝-청소부

The Chimney-Sweeper

우리 엄마가 돌아가셨을 때 난 아주 어렸는데,
혀짤배기소리로 "뚣어! 뚣어! 뚣어! 뚣어!"[5]
겨우 외치는 나를 우리 아빠가 팔아버렸어요.
그래서 여러분의 굴뚝을 청소하고, 검댕투성이로 자는 거예요.

톰 데이커라는 꼬마가, 양의 등처럼 곱슬곱슬한
머리칼이 빡빡 밀려서, 엉엉 울자, 내가 말해줬어요.
"울지 마, 톰! 괜찮아, 반들반들한 민머리면
검댕이 네 하얀 머리칼을 망칠 일도 없을 거야."

그제야 조용해졌는데, 바로 그날 밤에
톰이 잠들었다가, 정말 신기한 광경을 봤대요!—
딕, 조, 네드와 잭, 수천의 청소부들이
모두 새까만 관속에 갇혀 있었대요.

그런데 어떤 천사가, 빛나는 열쇠를 가져와서
그 관들을 열고, 애들을 모두 풀어주더래요.
그래서 다들 깔깔대며 녹색 들판을 뛰어다니다가
강물에 목욕하고, 햇살에 몸을 말리고

하얀 알몸으로, 각자의 자루를 버려둔 채
모두 구름 타고 솟구쳐, 바람 속에서 노는데,
천사가 톰에게 말했대요, 착한 소년이 되면,
하나님이 네 아버지가 되어, 늘 기쁘게 해줄 거야.

이내 톰은 깨어났고, 우리도 어둠 속에서 일어나
각자의 자루와 솔을 들고 일하러 나갔어요.
추운 아침이었지만, 톰은 행복하고 따듯했죠.
맡은 일만 잘하면, 해를 입을 걱정 안 해도 되니까요.

꿈

A Dream

언젠가 꿈이 그늘을 짜서
나의 천사가 지키는 침대를 휘덮었습니다.
그래서 마치 길을 잃어버린 개미처럼
내가 풀밭에 누워 있는 것 같았습니다.

걱정스럽고, 당혹스럽고, 막막했습니다.
어둡고, 날은 저물고, 여행에 지친 몸에
수없이 뒤엉킨 나뭇가지에 휘덮여서
완전히 낙심한 나에게 꿈의 말이 들렸습니다.

"오, 나의 자식들, 그들이 우는가?
그들에게 아버지의 한숨 소리가 들리는가?
이제야 그들이 찾아 나서는구나,
이제야 돌아와서 나를 위해 우는구나."

애처로워서, 나는 눈물을 떨구었는데
근처에 있던 반딧불이 눈에 들어왔습니다.
반딧불이 대답했습니다. "누가 흐느끼며
한밤의 야경꾼을 부르는 거니?

내가 땅에 빛을 비추기 시작하면
그 사이에 풍뎅이가 순찰을 돌 테니
자 풍뎅이의 붕붕 소리를 따라가려무나
어린 떠돌이야, 어서 집으로 가려무나."

길 잃은 어린 소년

The Little Boy Lost

"아버지, 아버지, 어디로 가는 거예요?
오, 그렇게 빨리 걷지 마세요!
말해줘요, 아버지, 당신의 어린 아들에게 말해줘요
그러지 않으면 나는 길을 잃고 말 거예요."

밤은 어두웠고, 아버지는 거기에 없었습니다.
아이는 이슬에 젖었습니다.
늪은 깊었고, 아이는 울었습니다.
그리고 운무가 흩날렸습니다.

길을 찾은 어린 소년

The Little Boy Found

어린 소년이 쓸쓸한 늪지대에서 길을 잃고
오락가락하는 빛[6]에 이끌려가다가
울기 시작했는데, 늘 가까이 있는 하나님이
하얀 옷을 입은 아버지의 모습으로 나타났습니다.

그분이 아이에게 키스하고 아이의 손을 잡고서
소년의 엄마에게 데려다주었습니다.
그녀는 슬프고 창백한 얼굴로 그 쓸쓸한 계곡에서
울면서 자신의 어린 아들을 찾고 있었습니다.

William Blake, Songs of Innocence, Plate 20, "The Little Boy Found" (Bentley 14), recto, 1789, Yale Center for British Art, Paul Mellon Collection, B1992.8.12(12).

IV

기쁨은 웃지 않고 슬픔은 울지 않는다

『경험의 노래』

『경험의 노래』(Songs of Experience, 1794)는 『순수의 노래』에 거울처럼 대비되는 시집으로, 목가적인 동심의 순수함이 모두 부정당하고 분열과 투쟁이 지배하는 현실 세계를 잘 보여준다. 이 장에 수록된 작품들은 『순수와 경험의 노래』의 2부 『경험의 노래』에 실린 시들로, 순수함을 잃고 타락해 가는 세상을 그리고 있다.

William Blake, Songs of Innocence and of Experience, Plate 33, Experience Title Page (Bentley 29), recto, 1794, Yale Center for British Art, Paul Mellon Collection, B1978.43.1564.

서시

Introduction

시인의 목소리를 들으세요,
그는 현재, 과거와 미래를 봅니다—
그의 두 귀가
고대의 나무숲에서 거닐었던
거룩한 말씀을 듣고서,[1]

타락한 영혼을 부르며
저녁 이슬에 젖어 울고 있습니다—
별빛 장대[2]를
잘 다스려서
추락한, 추락한 빛을 되살릴 수 있도록.

오 대지여, 오 대지여, 돌아오라!
이슬 젖은 풀밭에서 일어나라!
밤이 지나가고
아침이
그 졸음에 겨운 땅덩이에서 떠오른다.

더 이상 고개를 돌리지 마라,
왜 그대는 고개를 돌리려 하는가?
저 별 마루,
저 물 기슭도[3]
먼동이 틀 때까지 그대에게 주어졌나니.

흙덩어리와 조약돌

The Clod & the Pebble

"사랑은 자신의 기쁨을 찾지 않고
자기를 돌보지도 않은 채
다른 이에게 자신의 안락을 베풀어
지옥의 절망 속에 천국을 세웁니다."

그렇게 작은 진흙 덩어리가
소의 발에 짓밟혀 노래했다
그런데 시내의 조약돌이
이렇게 자갈자갈 답가를 불렀다.

"사랑은 자기만 즐거우면 그만이라서
다른 이를 자신의 기쁨에 옭아맵니다.
다른 이가 불편하면 기뻐하며
천국의 악의 속에 지옥을 세웁니다."

William Blake, Songs of Innocence and of Experience, Plate 36, "The Clod & the Pebble" (Bentley 32), recto, 1794, Yale Center for British Art, Paul Mellon Collection, B1978.43.1567.

사랑의 정원

The Garden of Love

나는 사랑의 정원에 갔다가
예전에 보지 못했던 것을 보았습니다.
내가 뛰놀곤 했던 녹색 풀밭
그 한가운데에 예배당이 세워져 있었습니다.

그런데 이 예배당의 문들이 닫혀 있었고
문 위에 '출입 금지'라고 적혀 있었습니다.
그래서 고운 꽃들이 아주 많이 피어 있었던
사랑의 정원으로 나는 눈길을 돌렸습니다.

그러나 꽃들이 있어야 할 그 정원에는
무덤들과 묘석들만 가득했습니다—
그리고 검은 가운 차림의 사제들이 돌아다니며
찔레로 나의 기쁨들과 욕망들을 동여매고 있었습니다.

런던

London

나는 인가받은[4] 거리를 따라 배회하다가
인가받은 템스강이 흘러가는 강변 근처에서
내가 만나는 모든 얼굴에서
허약의 자국들, 비애의 자국들을 주시합니다.

모든 사람의 모든 외침에서
모든 아기의 두려운 비명에서
모든 목소리에서, 모든 금제에서
마음이 벼려 만든 수갑 소리를 나는 듣습니다—

굴뚝-청소부의 외침이 어찌나
검게 물드는 교회들을 질겁하게 만드는지,
또 불운한 병사의 한숨 소리가 어찌하여
피로 물들어 궁전 벽을 타고 흘러내리는지.

그러나 무엇보다 한밤 거리를 헤집어 놓는 소리
젊은 창녀의 욕설이 어찌하여
갓난아기의 눈물을 말려버리고[5]
역병으로 물들여서 결혼 영구차를 초래하는지.[6]

파리

The Fly

작은 파리야,
너의 여름 놀이를
나의 무심한 손이
휘저어 훼방 놓았구나.

나도 너 같은
파리가 아닐까?
아니 너도 나 같은
사람이 아닐까?

어떤 보이지 않는 손이
나의 날개를 털어버릴 때까지
나도 춤추고
마시고 노래하니까.

만일 생각이 삶이요
힘이자 숨이고
생각의
결핍이 죽음이라면

그럼 나도
행복한 파리겠지
내가 살더라도
아니면 내가 죽더라도.

나의 예쁜 장미-나무

My Pretty Rose Tree

나는 꽃 한 송이를 선물 받았습니다
오월이 품어본 적 없는 그런 꽃이었습니다.
하지만 나는 "나에게도 예쁜 장미-나무가 있어요"
말하고, 그 고운 꽃을 돌려주었습니다.

그리고 나는 나의 예쁜 장미-나무로 가서
낮에도 밤에도 돌봐주었습니다.
그런데 나의 장미가 질투심에 토라져서
가시들이 나의 유일한 기쁨이었습니다.

호랑이[7]

The Tyger

한밤의 숲속에서
밝게 불타는 호랑아, 호랑아,
어떤 불멸의 손 아니면 눈이
너의 무서운 균형을 빚을 수 있었을까?

어느 먼 심연 아니면 하늘에서[8]
네 눈의 불은 타올랐을까?
어떤 날개를 달고 담대히 그는 치솟을까?
어떤 손이 감히 그 불을 붙잡을까?

그리고 어떤 어깨와 어떤 기술이
네 심장의 근육을 비틀 수 있었을까?
그리하여 너의 심장이 고동치기 시작했을 때
어떤 두려운 손? 그리고 어떤 두려운 발이?

어떤 망치? 어떤 사슬이?
어떤 용광로에 너의 뇌는 들어 있었을까?
어떤 모루? 어떤 두려운 집게가
감히 그 치명적인 공포를 움켜쥘까?[9]

별들이 저마다 창을 내던지고
그들의 눈물로 천국을 적셨을 때[10]
그분은 자신의 작품을 보고 미소했을까?
어린 양을 창조한 그분이 너도 만들었을까?

한밤의 숲속에서
밝게 불타는 호랑아, 호랑아,
어떤 불멸의 손 아니면 눈이
감히 너의 무서운 균형을 빚을까?

William Blake, Songs of Innocence and of Experience, Plate 42, "The Tyger" (Bentley 42), recto, 1794, Yale Center for British Art, Paul Mellon Collection, B1978.43.1573.

어린 떠돌이

The Little Vagabond

사랑하는 엄마, 사랑하는 엄마, 교회는 추워요.
하지만 술-집은 기운차고 즐겁고 따듯해요.
게다가 정말로 내가 잘 대접받는 곳이에요.
그런 대접은 천국에서도 절대 못 받을 거예요.

하지만 혹시 교회에서 우리에게 약간의 술과
기분 좋은 화로를 내주어, 우리의 영혼을 즐겁게 해준다면
종일토록, 우리도 노래하고 우리도 기도할게요
다시는 교회에서 벗어나 배회하지 않을게요.

그러면 목사님도 설교하고 마시고 노래할 수 있고
우리도 봄날의 새들처럼 행복할 거예요.
언제나 교회에 계시는 정숙한 러치[11] 부인이
아이들을 꾸짖고 굶기고 때릴 일도 없을 거예요.

하나님도, 마치 자기처럼 즐겁고 행복한
자식들을 바라보며 기뻐하는 아버지처럼,
더 이상 악마나 술통을 붙들고 싸우지 않고
자식에게 키스하고 마실 것과 옷을 내주실 거예요.

병든 장미

The Sick Rose

오 장미야, 네가 병들었구나.
한밤의, 울부짖는
폭풍 속에서 날아다니는
보이지 않는 벌레가

새빨간 기쁨에 얼룩진
너의 침대를 발견하고는
그의 검고 은밀한 사랑이
너의 생명을 파괴하는구나.

V

분노를 말하지 않으니 분노가 자랐다

『경험의 노래』

이 장에 수록된 작품들은 『순수와 경험의 노래』의 2부 『경험의 노래』에 실린 시들로, 분노와 어리석음과 같은 인간 감정의 모순된 욕망 그리고 이성의 이름으로 자행되는 폭력 등 타락한 문명 세계를 묘사하고 있다.

독 나무

A Poison Tree

나는 나의 친구에게 화가 났습니다.
내가 나의 분노를 말하자, 나의 분노가 끝났습니다.
나는 나의 적에게 화가 났습니다.
내가 그걸 말하지 않자, 나의 분노가 자랐습니다.

그렇게 나는 두려움에 사로잡혀서
밤에도 아침에도 나의 눈물로 분노에 물을 주고
그렇게 나는 미소와 부드러운 거짓 간계로
분노에 볕을 쬐어주었습니다.

그러자 그 나무가 낮에도 밤에도 자라나서
마침내 밝은 사과 한 알이 열렸습니다—
그런데 나의 적이 그 빛나는 열매를 바라보았습니다.
그는 그 열매가 나의 것임을 알고는

밤이 장대에 베일을 씌울 즈음에
나의 정원으로 몰래 들어왔습니다.
아침에 나는 보았습니다. 기쁘게도,
나의 적이 그 나무 밑에 쭉 뻗어 있었습니다.

William Blake, *Songs of Innocence and of Experience*, Plate 41, "A Poison Tree" (Bentley 49), recto, 1794, Yale Center for British Art, Paul Mellon Collection, B1978.43.1572.

인간의 추상[1]

The Human Abstract

연민은 더 이상 없을 것입니다
우리가 누군가를 가난하게 만들지 않는다면.
자비도 더 이상 없을 것입니다
모두가 우리와 똑같이 행복하다면.

서로의 두려움이 평화를 낳습니다
결국에는 이기적인 사랑이 커지지만요.
그러면 무자비가 올가미를 엮어서
신중하게 미끼를 뿌려놓습니다.

무자비는 두려운 공포를 품고 앉아
눈물로 땅에 물을 줍니다.
그러면 겸손이 무자비의 발밑으로
뿌리를 내립니다.

머지않아 신비의 음울한 그늘이
펼쳐져서 겸손의 머리를 휘덮으면
애벌레와 파리가
그 신비를 먹고 삽니다.

그리고 그 나무에 먹음직스럽게
볼그족족하고 달콤한 기만의 열매가 열리면
까마귀가 가장 짙은 그늘에
자신의 둥지를 틉니다.

대지와 바다의 신들이
이 나무를 찾으려고 자연을 샅샅이 뒤졌습니다.
그러나 그들의 탐색은 다 헛수고였습니다—
그 나무는 인간의 뇌 속에서 자라니까요.

William Blake, Songs of Innocence and of Experience, Plate 46, "The Human Abstract" (Bentley 47), recto, 1794, Yale Center for British Art, Paul Mellon Collection, B1978.43.1577.

학생

The Schoolboy

나는 여름날 아침에 일어나는 것이 좋습니다
새들이 모든 나무에 앉아 노래합니다
멀리서 사냥꾼이 뿔피리를 불고
종달새가 나와 함께 노래합니다.
오, 정말로 즐거운 친구들입니다!

하지만 여름날 아침에 학교에 가려면—
오, 모든 기쁨이 싹 달아나 버립니다!
무자비한 눈총에 지치고 지친
어린이들이 하루를 보냅니다
한숨 쉬며 낙담에 잠겨서요.

아, 그럴 때면 나는 눈을 내리깔고 앉아
수없이 불안한 시간을 보내곤 합니다.
나는 나의 책에서 기쁨을 얻지 못하고
배움의 정자 안에 앉아 있지도 못합니다
따분한 소나기 소리[2]에 지칠 대로 지쳤거든요.

기쁨을 위해 태어난 새가 어떻게
새장 안에 앉아서 노래하겠어요?

온갖 두려움이 괴롭히는데, 아이가 어쩌겠어요
연약한 날개를 늘어뜨리고
자신의 팔팔한 봄을 잊을 수밖에 없잖아요?

오, 아버지와 어머니, 만약에 새싹이 잘리고
꽃들이 날려 떨어져 버리면
만약에 여린 식물들이 돋아나는 봄날에
슬픔과 걱정 때문에 낙담해서
기쁨을 다 빼앗겨 버린다면

어떻게 여름이 기쁘게 부활하겠어요,
또 어떻게 여름 열매들이 생겨나겠어요?
또 슬픔이 파괴하는 것을 어떻게 우리가 따 모으겠어요,
또 겨울의 폭풍이 불어올 때
어떻게 여유로운 해라고 축복하겠어요?

천사

The Angel

나는 꿈을 꾸었어요— 그게 무슨 뜻일까요?
나는 어떤 처녀 여왕이었고
한 상냥한 천사의 보호를 받고 있었는데—
어이없는 슬픔은 절대 안 잊히지요!

그래서 나는 밤에도 낮에도 울었어요.
그러자 천사가 나의 눈물을 닦아주었어요.
그래서 나는 낮에도 밤에도 울었어요
천사에게는 내 가슴의 기쁨을 숨겼어요.

그러자 천사가 날갯짓하며 날아가 버렸어요.
이내 아침이 장밋빛으로 붉게 타올랐죠.
나는 나의 눈물을 닦고 나의 두려움들을
일만 개의 방패와 창으로 무장했어요.

머지않아서 나의 천사가 다시 찾아왔어요.
나는 무장한 상태라서, 천사가 헛걸음을 한 것이죠.
청춘의 시간은 달아나 버렸고
잿빛 머리칼이 나의 머리에 성성했으니까요.

길 잃은 어린 소년

A Little Boy Lost

"아무도 남을 자기처럼 사랑하지 않아요
남을 그렇게 공경하지도 않아요
자기를 아는 것보다 더 중요하게
여기는 것도 불가능한 일이에요.

그러니, 신부님, 어떻게 내가 당신을
아니면 나의 형제들을 더 사랑할 수 있겠어요?
나는 문 주변에 널려 있는 빵 부스러기를
쪼아먹는 작은 새처럼 당신을 사랑할 뿐이에요."

사제가 옆에 앉아서 그 아이의 말을 듣고는
부들부들 떨며 열의에 차서 아이의 머리칼을 붙들고
작은 외투를 부여잡고서 아이를 끌고 나오자
모두가 그 성직자의 근심에 감복했지요.

이윽고 높은 제단에 우뚝 서서
"이 악마 같은 놈을 보시오!" 사제가 말했어요.
"우리의 아주 거룩하고 신비로운
심판관님께 따지고 드는 놈입니다."

우는 아이의 소리는 들리지 않았어요
우는 부모의 눈물도 소용없었어요.
그들은 작은 속옷까지 아이를 발가벗기고
쇠사슬로 아이를 묶었어요.

그리고 한 성스러운 장소에서 아이를 불태웠어요
예전에 많은 이들이 타 죽은 곳이었어요.
우는 부모의 눈물도 소용없었어요—
그런 일들이 영국 땅에서 자행되느냐고요?

길 잃은 어린 소녀

A Little Girl Lost

미래 시대의 아이들이여,
이 분노의 시를 읽고서
예전에는 사랑, 달콤한 사랑이
죄로 여겨졌다는 것을 기억하기를.

황금의 시대에는
겨울의 추위 걱정 없이
청년과 처녀가 밝게
거룩한 빛을 쬐며
벌거벗은 채 햇살 속에서 기뻐합니다.

예전에 한 청춘 남녀가
막연한 걱정을 가득 안고
밝은 정원에서 만났는데
마침 그 거룩한 빛이
밤의 커튼들을 막 거둬낸 곳이었습니다.

그곳에 날이 밝으면
풀밭에서 그들은 놉니다.
부모는 멀리 있었습니다.

낯선 이들이 다가오지 않았기에
처녀는 이내 자신의 두려움을 잊었습니다.

달콤한 입맞춤들에 지쳐서
둘은 다시 만나기로 약속합니다
고요한 잠이 하늘의 심연을
너울너울 넘어가고
지치고 피곤한 방랑자들이 축 늘어질 즈음에.

백발의 아버지에게
밝은 소녀는 돌아갔습니다.
그런데 그의 다정한 눈길이
마치 성경처럼
처녀의 여린 팔다리를 너무나 무섭게 흔들었습니다.[3]

"오나야, 창백하고 힘이 없구나
너의 아버지한테 말해보려무나.
오, 그 바들거리는 두려움,
오, 그 음울한 걱정이
꽃처럼 하얗게 센 나의 머리칼을 뒤흔드는구나."

William Blake, Songs of Innocence and of Experience, Plate 44, "A Little Girl Lost" (Bentley 51), recto, 1794, Yale Center for British Art, Paul Mellon Collection, B1978.43.1575.

VI

봄은 꽃 피는 환희를 숨길 수 없기에

『경험의 노래』

이 장에 수록된 작품들은 『순수와 경험의 노래』의 2부 『경험의 노래』에 실린 시들로, 순수함을 잃고 타락해 버린 문명 세계에 대한 인식과 함께 그러한 현실에 굴복하지 않고 극복해 내려는 의지를 드러낸다.

대지의 대답[1]

Earth's Answer

대지가 두렵고 음울한 어둠 속에서
머리를 쳐들었습니다.
빛기[2]가 사라져 버려
(돌처럼 차갑고 두려운 표정!)
그녀의 머리칼도 잿빛 절망으로 뒤덮여 있었습니다.

"물가에 갇힌 신세,
별 총총한 질투[3]가 나의 굴을 감시하지요.
차가운 서리 같은
눈물을 흘리다 보니
고대 사람들의 아버지 목소리를 다 듣네요.

사람들의 이기적인 아버지!
잔인하고 질투하고 이기적인 공포여!
기쁨이 사슬에 묶여
밤에 갇힌들
그 젊음과 아침의 처녀들을 감당할 수 있겠어요?

새싹과 꽃들이 움터나는데
봄이 그 환희를 숨기겠어요?

씨 뿌리는 자가
밤에 뿌리나요,
농부가 어둠 속에서 쟁기질을 하나요?

나의 뼈들을 친친 감아 얼려버리는
이 무거운 사슬을 끊어주세요.
이기적이고, 허영에 찬
영원한 독이여—
자유로운 사랑을 속박해 버린 이여."

EARTH'S Answer.

Earth raisd up her head.
From the darkness dread & drear.
Her light fled:
Stony dread!
And her locks coverd with grey despair.

Prisond on watry shore
Starry Jealousy does keep my den
Cold and hoar
Weeping o'er
I hear the father of the ancient men

Selfish father of men
Cruel jealous selfish fear
Can delight
Chaind in night
The virgins of youth and morning bear.

Does spring hide its joy
When buds and blossoms grow?
Does the sower!
Sow by night?
Or the plowman in darkness plow?

Break this heavy chain.
That does freeze my bones around
Selfish! vain!
Eternal bane!
That free Love with bandage bound.

William Blake, Songs of Innocence and of Experience, Plate 35, "Earth's Answer" (Bentley 31), recto, 1794, Yale Center for British Art, Paul Mellon Collection, B1978.43.1566.

길 잃은 어린 소녀

The Little Girl Lost

미래를 예언하는
나의 눈에는 보입니다
대지가 잠에서 깨어나
(그 선고[4]를 깊이 새기고)

그녀를 창조한
온화한 신을 찾을 것입니다
그러면 황량한 사막이
포근한 정원이 될 것입니다.

남쪽 나라,
여름의 절정이 결코
시들지 않는 그곳에
사랑스러운 라이카가 누워 있었습니다.

일곱 여름을 보낸 나이라고
사랑스러운 라이카는 말했습니다.
소녀는 들새들의 노래를 들으며
오랫동안 돌아다녔습니다.

"달콤한 잠아, 나에게 찾아오렴
이 나무 밑으로.
아빠, 엄마, 울고 있나요,
'어디서 라이카가 잘 수 있겠어요?'

당신들의 어린 딸이
황량한 사막에서 길을 잃었어요.
엄마가 운다면
라이카가 어떻게 자겠어요?

엄마의 가슴이 아프다면
그럼 라이카도 깨어 있을게요.
엄마가 잔다면
라이카도 울지 않을게요.

찌푸린, 찌푸린 밤아,
이 반짝이는 사막 위로
너의 달을 띄워주렴
그동안 나의 눈 좀 붙이게."

잠든 라이카가 누워 있었습니다—
그 사이에 먹이를 찾는 짐승들이
깊은 동굴들에서 나와
잠든 소녀를 살펴보았습니다.

왕 같은 사자가 우뚝 서서
소녀를 살펴보다가
이내 그 신성한 땅을
요리조리 뛰어다녔습니다.

표범들, 호랑이들이
누워 있는 그녀를 돌며 뛰놀고
늙은 사자가
금빛 갈기를 수그린 채

소녀의 가슴과
소녀의 목을 핥는 동안
그의 불꽃 같은 두 눈에서
루비 같은 눈물이 흘러내렸습니다.

그 사이에 암사자가
소녀의 엷은 옷을 벗겼고
모두가 알몸의 잠든 소녀를
등에 태워 동굴로 데려갔습니다.

The Little Girl Lost

In futurity
I prophetic see.
That the earth from sleep,
(Grave the sentence deep)

Shall arise and seek
For her maker meek:
And the desart wild
Become a garden mild.

In the southern clime,
Where the summers prime,
Never fades away;
Lovely Lyca lay.

Seven summers old
Lovely Lyca told,
She had wanderd long,
Hearing wild birds song.

Sweet sleep come to me
Underneath this tree;
Do father, mother weep.—
Where can Lyca sleep.

Lost in desart wild
Is your little child.
How can Lyca sleep,
If her mother weep.

If her heart does ake,
Then let Lyca wake;
If my mother sleep,
Lyca shall not weep.

Frowning frowning night,
O'er this desart bright,
Let thy moon arise,
While I close my eyes.

Sleeping Lyca lay;
While the beasts of prey,
Come from caverns deep,
Viewd the maid asleep

The kingly lion stood
And the virgin viewd,
Then he gambold round
O'er the hallowd ground;

William Blake, Songs of Innocence and of Experience, Plate 20, "The Little Girl Lost" (Bentley 34), recto, 1789, Yale Center for British Art, Paul Mellon Collection, B1978.43.1557.

길을 찾은 어린 소녀

The Little Girl Found

밤새도록 슬픔에 젖어
라이카의 부모는
깊은 계곡들을 뒤지고 다니고
그 사이에 사막은 눈물을 흘립니다.

지치고 비탄에 잠겨서
목이 쉬도록 탄식하며
서로 팔짱을 끼고 일곱 날을
부부는 사막의 길들을 뒤지고 다녔습니다.

일곱 밤을 부부는
깊은 어둠 속에 잠들어
꿈을 꾸다가 황량한 사막에서
굶어 죽은 그들의 자식을 봅니다.

길 없는 길들을 창백한 모습으로
그 꿈속의 형상은 헤매고 있습니다—
굶주린 채, 울먹이며, 가냘프게
힘없이 애처롭게 외치고 있습니다.

불안감에 일어나
바들바들 떠는 아내가
비애에 지친 발걸음을 내디뎠지만
그녀는 더 나아갈 수가 없었습니다.

남편이 쓰라린 슬픔으로 무장한
아내를 자신의 품에 안고 갔는데—
부부가 나아가는 길 앞에
사자 한 마리가 웅크리고 있었습니다.

돌아서 봐야 소용없었습니다.
사자의 맹렬한 갈기에
부부는 얼른 땅에 엎드렸습니다.
그러자 사자가 성큼성큼 다가와서

자기 먹잇감의 냄새를 맡았습니다.
그런데 사자가 부부의 손을 핥고는
두 사람 곁에 조용히 서 있자
부부의 공포가 누그러집니다.

부부가 사자의 눈을 바라보았는데
몹시 놀란 표정이었습니다.
마치 금빛으로 무장한 어떤 영혼을
바라보고 있는 것 같았습니다.

사자의 머리에 왕관이 얹혀 있고
금빛 머리칼이 그의 양어깨를
타고 흘러내렸습니다—
부부의 걱정은 다 사라졌습니다.

“나를 따라와요.” 사자가 말했습니다.
“그 소녀 때문이라면 울지 마세요.
나의 깊숙한 궁궐에서
라이카는 누워 잠들어 있으니까요.”

이윽고 그 환영이 이끄는 곳으로
따라간 부부는 마침내
야생 호랑이들 사이에
잠들어 있는 그들의 자식을 보았습니다.

이날까지도 그들은
한 외진 골짝에서 살고 있답니다.
늑대들이 울부짖어도
사자들이 으르렁거려도 무섭지 않답니다.

아, 해바라기야

Ah, Sunflower

아, 해바라기야, 태양의 발자국들을
세는, 시간에 지쳐서
그 나그네의 여행이 끝나는 곳
저 고운 금빛 영토를 갈구하는구나.

욕망에 시들어 버린 청년과
눈처럼 하얀 옷에 싸인 창백한 처녀가
각자의 무덤에서 일어나 갈망하는 곳
나의 해바라기가 가고 싶어 하는 그곳을.

백합

The Lily

고상한 장미는 가시를 돋우고
얌전한 양도 위협적인 뿔을 내밉니다.
하지만 하얀 백합은 사랑에 빠져서 기뻐할 뿐,
가시도 뿔도 백합의 아름다움을 밝게 물들이지 못합니다.[5]

성 목요일[6]

Holy Thursday

이것이 보기에 성스러운 일입니까
풍요롭고 비옥한 땅에서—
아기들을 고통에 몰아넣고
고리대금업자처럼 차가운 손으로 먹이는데?

저 떨리는 외침이 노래입니까?
그것이 기쁨의 노래일 수 있습니까—
저토록 많은 아이들이 가난한데?
그곳은 가난의 땅입니다!

그래서 그들의 해는 빛나지 않고
그들의 들판은 황량하게 텅 비어 있고
그들의 길은 온통 가시투성이입니다.
거기에는 영원한 겨울이 있을 뿐입니다!

해가 빛나는 곳이면 어디에서든
비가 내리는 곳이면 어디에서든
아기는 절대 굶주릴 리 없고
가난도 마음을 질리게 하지 못하니까요.

굴뚝-청소부

The Chimney-Sweeper

자그마한 검은 물체가 눈밭에서
비통한 음성으로 소리칩니다! 뚫어, 뚫어,
애야, 너의 아빠와 엄마는 어디에 있니?
"둘 다 교회에 기도하러 갔어요.

나는 히스 황야에서도 행복했고
겨울 눈밭에서도 미소했기 때문에
그들이 나에게 죽음의 옷을 입혀주고
나에게 비애의 노래를 부르도록 가르쳤어요.

그래도 내가 행복해서 춤추고 노래하니까
그들은 내게 아무 상처도 주지 않았다고 생각하는지—
하나님과 그분의 사제와 왕을 찬양하러 가죠
우리의 고통으로 천국을 꾸미는 분들을요."

디르사에게[7]

To Tirzah

필멸의 존재로 태어나는 모든 것이
대지와 함께 완전히 불타버려야만
생식에서 해방되어 부활합니다.
그런데 당신이 내게 무슨 볼일이 있습니까?[8]

성욕이, 수치심과 오만에서 생겨나
아침에 피었다가—저녁에 죽었습니다.
그런데 은총이 죽음을 잠으로 바꿔버리는 바람에
성욕이 되살아나서 일하다가 울었습니다.

내 유한한 몸의 어머니 바로 당신이
무자비하게 나의 심장을 다져 만들었고
자기-기만적인 거짓된 눈물로
나의 콧구멍, 눈과 귀를 덧붙였습니다.

나의 혀를 무감각한 진흙으로 메우고
나에게 필멸의 생명을 떠넘겼습니다.
예수의 죽음이 나를 자유롭게 풀어주었고요.
그런데 당신이 내게 무슨 볼일이 있습니까?

고대 시인의 목소리

The Voice of the Ancient Bard

기쁨의 청춘이여, 이리 오라
저 열리는 아침,
새로 태어난 진리의 형상을 보라.
의심이 사라졌다. 이성의 구름,
암울한 논쟁과 교묘한 농락도 사라졌다.
어리석음은 끝없는 미로와 같다.
뒤얽힌 뿌리들이 그 길들을 섞갈리게 한다—
아주 많은 이들이 거기서 나뒹굴었다.
그들은 밤새도록 죽은 이들의 뼈에 걸려 넘어지며
더듬더듬 알 수 없는 걱정거리를 감지한다—
그리고 안내받아야 하는 처지에 남들을 이끌기를 바란다.

어리석음의 시간은 시계로 측정되지만,
지혜에 대해서는 어떤 시계도 측정할 수 없다.

—「지옥의 격언」 중에서

VII

사랑과 증오는 한 가지에서 만난다

『천국과 지옥의 결혼』

앞선 두 시집 『순수의 노래』와 『경험의 노래』에서는 블레이크 자신의 표현대로 '인간 영혼의 두 상반된 상태'를 볼 수 있었다. 이를 물질세계에 적용하면 순수한 자연과 타락한 문명 세계, 기독교 신화에 적용하면 인간의 타락 이전 세계와 그 후의 세계를 의미한다. 블레이크는 『천국과 지옥의 결혼』(The Marriage of Heaven and Hell, 1790-1793)에서 이 두 대립적인 세계의 결합(결혼)을 시도하며 새로운 시대와 세계를 기획하고 전망한다.

서사[1]

The Argument

린트라가 무겁게 짓눌린 하늘에서 포효하며 자신의 불을 뒤흔든다.[2]
굶주린 구름들이 그 심연에 늘어져서 흔들거린다.[3]

예전에 온순했던 의인이
파멸의 길에 들어서서
죽음의 계곡을 따라 계속 나아갔다.
가시나무 자라는 곳에 장미가 심어지고,
황량한 히스 황야에서
꿀벌들이 노래한다.

그렇게 파멸의 길이 식물로 뒤덮이고,
강과 샘이
모든 절벽과 무덤 위에 생겨나고,
하얗게 빛바랜 뼈들에
붉은 진흙이 돋아났다.[4]

그러자 악마가 안락의 길을 두고
파멸의 길로 걸어 들어와서
의인을 불모의 땅으로 쫓아버렸다.
이제 그 음험한 뱀이

온화하게 겸손 떨며 걸어 다니고,
의인은 사자들이 돌아다니는
광야에서 포효한다[5]

린트라가 무겁게 짓눌린 하늘에서 포효하며 자신의 불을 뒤흔든다.
굶주린 구름들이 그 심연에 늘어져서 흔들거린다.

새로운 천국이 시작되고, 그 나라가 도래한 지 서른세 해가 되는 지금, 영원한 지옥이 부활한다. 자 보라! 스베덴보리[6]가 그 무덤에 앉아 있는 천사요, 그의 글들은 반듯하게 접힌 아마포 수의다. 지금은 에돔의 치세며, 아담이 낙원으로 돌아왔다.[7] 「이사야」 34장과 35장을 보라.[8]

상반되는 것들이 없이는 어떤 진보도 없다. 끌림과 반발, 이성과 에너지, 사랑과 증오가 인간의 존재에 필요하다.

이 상반되는 것들에서 종교인들이 선과 악으로 부르는 것이 생겨난다. 선은 이성에 복종하는 수동적인 것들이다: 악은 에너지에서 솟구치는 능동적인 것들이다.

선은 천국이요, 악은 지옥이다.

악마의 목소리

The Voice of The Devil

모든 경전들 혹은 신성한 법전들이 다음과 같은 오해들의 원인이었다.

1. 인간에게는 두 가지의 실존 원리, 즉 육체와 영혼이 있다는 것.[9]
2. 악으로 불리는 에너지는 오로지 육체에서 기인하고, 선으로 불리는 이성은 오로지 영혼에서 기인한다는 것.
3. 하나님은 에너지를 따르는 인간을 영원의 세상에서 괴롭히리라는 것.

그러나 이런 오해들과 상반되는 다음과 같은 것들이 참이다.

1. 인간에게는 그의 영혼과 구분되는 육체가 없다. 왜냐하면 그렇게 불리는 육체는 오감에 의해 식별되는 영혼의 일부로, 이 시대에는 영혼의 주요 입구이기 때문이다.
2. 에너지가 유일한 생명이고 육체에서 기인하며, 이성은 에너지의 경계 또는 바깥 원주다.
3. 에너지는 영원한 기쁨이다.

욕망을 억제하는 자들은 그들의 욕망이 억제될 수 있을 만큼 약하기 때문에 그러는 것이며, 억제자 또는 이성이 욕망의 자리를 빼앗고 저항하는 욕망을 통제한다.

그렇게 억제된 욕망은 점차 수동적으로 변해가다가, 결국에는 욕망의 그림자만 남는다.

이와 같은 욕망의 역사가 『실낙원』에 적혀 있으며, 통치자 또는 이성이 메시아로 불린다.

그리고 본래 대천사요, 천군의 지휘권자가 악마 또는 사탄으로 불리고, 그의 자식들은 죄와 죽음으로 불린다.[10]

그러나 「욥기」에서는 밀턴의 메시아가 사탄으로 불린다.[11]

이 역사가 그동안 양측 모두에게 채택되었기 때문이다.

사실 이성에게는 마치 욕망이 추방된 것처럼 보였다. 그러나 메시아가 타락해서, 그가 혼돈에서 훔쳐낸 것들로 천국을 만들었다는 것이 악마의 설명이다.

이 말은 「복음서」에 나오는데, 여기서 그는 아버지께 위안자 또는 욕망을 보내주시라고 기도한다. 그리하여 이성이 그 욕망을 기반으로 사상을 세울 수 있게 해달라고.[12] 성서의 여호와는 다름 아닌 타오르는 불길 속에서 사는 악마다. 그리스도의 사후에, 그가 여호와가 되었다는 것을 유의하라.

그러나 밀턴의 작품에서는 아버지는 운명, 아들은 오감의 합이고, 성령은 진공이다![13]

참고. 밀턴이 족쇄를 찬 상태에서 천사들과 하나님에 대해 집필하고, 자유로운 상태에서 악마들과 지옥에 대해 집필했던 이유

는 그가 진정한 시인이었고 자기도 모르게 악마들의 편에 있었기 때문이다.[14]

기억할 만한 환상[15]

A Memorable Fancy

나는 지옥의 불길 속을 걸어가며, 천사들에게는 고통과 광기처럼 보이는 천재의 향락들을 만끽하다가, 한 나라에서 쓰이는 속담들이 그 나라의 특성을 나타내듯, **지옥의 격언**들도 건물들이나 의복들의 묘사에 못지않게 지옥 지혜의 본질을 잘 보여준다는 생각에 그 격언들의 일부를 수집하였다.

내가 집으로 돌아왔을 때, 평평한 경사면의 가파른 절벽이 현재의 세상을 굽어보며 눈살을 찌푸리는 오감의 심연 위에서, 한 강력한 악마가 그 바위 절벽 양면에서 맴도는 검은 구름 속에 몸을 움츠리고 있는 것을 보았다. 부식의 불꽃으로 그 악마가 지금 사람들의 마음에 인식되고, 그들에 의해 읽히는 다음과 같은 문장을 썼다:[16]

허공의 길을 가르는 새도 아닌 너희가 어떻게 알겠는가,
거대한 환희의 세상이 너희의 오감에 갇혀 있다는 것을?

지옥의 격언[17]

Proverbs of Hell

씨 뿌리는 철에 배우고, 추수철에 가르치고, 겨울에 즐겨라.

죽은 이들의 뼈 밭을 달구지로 다져 길을 내고 쟁기로 갈아 일궈라.

과잉의 길이 지혜의 궁전으로 통한다.

신중은 무능력의 구애를 받는 돈 많고 추한 노처녀와 같다.

욕구할 뿐 행하지 않는 자는 페스트를 번식시킨다.

잘린 벌레는 쟁기를 용서한다.

물을 좋아하는 자라면 강물에 멱을 감겨라.

바보와 현자는 같은 나무를 보지 않는다.

얼굴이 빛나지 않는 자는 절대 별이 될 수 없다.

영원은 시간의 산물들을 사랑한다.

바쁜 벌에게는 슬퍼할 시간이 없다.

어리석음의 시간은 시계로 측정되지만, 지혜에 대해서는 어떤 시계도 측정할 수 없다.

건강에 좋은 음식은 모두 그물이나 덫 없이 잡힌다.

기근이 든 해에는 매물, 저울과 되를 꺼내라.

자기 날개로 비상하는 새치고 너무 높이 나는 새는 없다.

죽은 몸은 상처를 입었다고 보복하지 않는다.

가장 숭고한 행동은 자기보다 타인을 앞에 세우는 것이다.

바보가 자신의 어리석음을 고집하면 현명해질 것이다.

어리석음은 속임수의 외투다.

수치심은 긍지의 외투다.

감옥은 법의 돌로 세워지고, 매음굴은 종교의 벽돌로 세워진다.

공작의 긍지는 신의 영광이다.

염소의 욕정은 신의 혜택이다.

사자의 분노는 신의 지혜다.

여인의 나신은 신의 작품이다.

슬픔이 지나치면 웃음이 나온다. 기쁨이 지나치면 눈물이 나온다.

사자들의 포효, 늑대들의 울부짖음, 폭풍우 치는 바다의 맹위와 파멸의 칼은 사람의 눈에는 너무나 숭고한 영원의 조각들이다.

여우는 자신이 아니라 덫을 비난한다.

기쁨은 기쁨을 잉태한다. 슬픔은 슬픔을 낳는다.

남자에게는 사자의 털가죽을 입히고, 여자에게는 양의 털을 입혀라.

새는 둥지를, 거미는 거미줄을, 사람은 우정을 쌓는다.

이기적으로 미소하는 바보와 뚱하게 찌푸리는 바보가 회초리의 역할을 한다면, 둘 다 현자로 통할 것이다.

지금 증명된 모든 것은 한때는 상상의 대상이었을 뿐이다.

쥐, 생쥐, 여우, 토끼는 뿌리를 주시한다. 사자, 호랑이, 말, 코끼리는 열매를 주시한다.

수조는 담고, 샘은 흘러넘친다.

한 생각이 무한을 채운다.

언제나 그대의 마음을 말할 태세를 갖추고 있어라. 그러면 비열한 자가 그대를 피해 갈 것이다.

믿을 수 있는 모든 것들이 저마다 진리의 한 표상이다.

까마귀에 대해 배우려고 자신을 낮추는 독수리는 결코 많은 시간을 허비하지 않는다.

여우는 자급자족하지만, 사자는 신이 부양한다.

아침에는 생각하라. 낮에는 행동하라. 저녁에는 먹어라. 밤에는 자라.

그대를 괴롭혀서 자기 편으로 끌어들인 자는 그대를 잘 알고 있다.

쟁기가 말(言)을 따르듯, 신은 기도에 보답한다.

분노하는 호랑이가 가르치는 말보다 슬기롭다.

고여 있는 물에서는 독을 예상하라.

충분 이상으로 알고 있지 않다면 결코 충분하게 알고 있지 않은 것이다.

바보의 비난을 귀담아들어라. 그것은 왕의 특권과 같다.[18]

불의 눈, 공기의 콧구멍, 물의 입, 흙의 수염.

용기에 약한 자는 잔꾀에 강하다.

사과나무는 너도밤나무에게 자라는 법을 묻지 않고, 사자는 말에게 먹이 잡는 방법을 묻지 않는다.

감사히 받아들이는 자는 풍성한 수확물을 거둔다.

다른 사람들이 어리석지 않았다면, 우리도 그래야 한다.

즐거운 기쁨의 영혼은 절대 더럽혀지지 않는다.

독수리를 보는 사람은 천재의 일부를 보는 것이니, 머리를 높이 쳐들라!

풀쐐기가 가장 고운 잎들을 택하여 알을 낳듯, 사제는 가장 고운 기쁨들 위에 저주의 알을 낳는다.

오랜 세월의 노고 끝에 비로소 한 송이 작은 꽃이 피어난다.

긴장을 저주하라. 안정을 축복하라.

최고의 술은 가장 오래된 술이다. 최고의 물은 가장 신선한 물이다.

기도는 일구지 않는다. 칭찬은 거두지 않는다.

기쁨은 웃지 않는다. 슬픔은 울지 않는다.

머리는 숭고미, 심장은 비애미, 생식기는 순수미, 손과 발은 균형미.

새에게는 공기가 물고기에게는 바다가 어울리듯, 비열한들에게는 모욕이 어울린다.

까마귀는 만물이 까맣기를 바랐고, 올빼미는 만물이 하얗기를 바랐다.

무성한 것은 아름답다.

사자가 여우의 충고를 받아들이면, 교활해진다.

개선이 좁다란 길들을 내지만, 개선 없이 꼬부라진 길들이 천재의 길이다.

실행되지 않을 욕망을 키우느니 차라리 요람에 든 아기를 죽이는 편이 낫다.

사람이 없는 자연은 불모지다.

진실은 결코 말로 이해시킬 수 없고 믿게 할 수도 없다.

충분히, 아니 넘치도록 많이!

⚜

고대의 시인들은 모든 감각 대상들에 신령 또는 악령을 부여해서 그것들에 이름을 붙여주었다. 그리고 확장된 무수한 감각들이 인식할 수 있는 숲들, 강들, 산들, 호수들, 도시들, 국가들을 비롯한 모든 것에 특징을 부여해서 돋보이게 하였다.

그리고 특히 그들은 각 도시와 나라의 기풍을 연구해서, 저마다 정신적인 신의 치세 아래 두었다.

이윽고 일정한 체계가 형성되자, 일부 시인들이 그 체계를 이용해서 정신적인 신들과 그들을 숭배하는 대상들을 분리하여 그 신들을 실재하게 하거나 추상화함으로써 평민들을 노예로 만들

어 버렸다. 성직 제도는 그렇게 시작되었다—시적인 이야기들에서 숭배의 형식들을 선정한 것이다.[19]

그리고 마침내 그들은 신들이 그런 일들을 명령했다고 선언하였다.

그리하여 사람들은 인간의 가슴속에 모든 신들이 살고 있다는 것을 잊게 되었다.[20]

기억할 만한 환상

A Memorable Fancy

예언자 이사야와 예언자 에스겔이 나와 함께 식사했는데, 내가 그들에게 물었다. 어찌하여 그토록 강력하게 하나님이 당신들에게 말씀하셨다고 주장하셨습니까, 당시에 당신들의 말이 오해를 사서, 기만의 원인이 될 것이라는 생각은 하지 않았습니까?

이사야가 대답했다. "나는 유한한 인체 기관의 지각으로는 하나님을 보지 못했고, 어떤 소리도 듣지 못했다. 하지만 나의 감각들이 만물에서 그 무한한 존재를 발견하였고, 그 정직한 분노의 목소리가 바로 하나님의 목소리라는 것을 믿고 확신하게 되었다. 그래서 내가 결과들에 개의치 않고 그렇게 쓴 것이다."

그러기에 내가 물었다. "어떤 일을 그렇다고 믿는 확고한 신념이 정말로 그렇게 만드나요?"

그가 대답했다. "모든 시인들이 정말로 그렇다고 믿는다. 그래서 상상력의 시대에는 그런 확고한 신념이 산을 움직였다. 그러나 어떤 것에 대한 확고한 신념을 발휘할 수 있는 사람은 많지 않다."

그러자 에스겔이 말했다. "동양의 철학은 인간의 인식에 관한 주요 원칙들을 가르쳤는데, 어떤 나라들은 기원에 대한 한 가지 원칙을 고수하였고 어떤 나라들은 다른 원칙을 신봉하였다. 우리 이스라엘 민족은 (너희가 지금 부르는 명칭대로) **시적인 천재**[21]가

최고의 원칙이요, 그 밖의 모든 원칙들은 파생물들에 불과하다고 가르쳤다—이것이 바로 우리가 다른 나라들의 사제들과 철학자들을 경멸하며, 모든 신들이 결국은 우리의 하나님으로부터 기원하여 시적인 천재의 갈래들이 될 것이라고 예언한 근거였다.

우리의 위대한 시인 다윗 왕께서 그토록 간절히 바랐고 그토록 애처롭게 기원했던 것도 바로 이것이었다. 그래서 그분은 이 시적인 천재로 적들을 정복하고 왕국들을 다스린다고 말씀하셨다.[22] 우리도 우리의 하나님을 너무나 사랑했기 때문에, 우리가 그분의 이름으로 주변 나라들의 모든 신들을 저주하고, 그 신들이 반란을 일으켰다고 주장한 것이다. 그리고 이런 소신들 덕분에, 속인들까지도 모든 민족이 결국에는 유대인의 지배를 받게 되리라고 생각하게 되었다."

"이 신념이" 그가 말했다. "모든 확고한 신념들과 마찬가지로, 실현되기에 이른 것이다. 모든 민족이 유대인의 법전을 믿고 유대인의 하나님을 숭배하나니, 이보다 위대한 복종이 어디 있겠는가?"

나는 이 말을 듣고 적잖이 감복해서, 나 역시 확신한다고 고백할 수밖에 없었다. 식사 후에 내가 이사야에게 그의 노력들이 수포로 돌아갔는데도 세상을 두둔할 것이냐고 묻자, 그가 그만큼 가치 있는 일은 없었기에 아무것도 잃은 게 없다고 말했다. 에스겔도 그와 똑같은 마음이라고 말했다.

나는 다시 이사야에게 무엇 때문에 3년 동안 벌거벗은 채 맨발로 다녔느냐고 물었다.[23] 그가 대답했다. "우리의 친구, 그리스인 디오게네스를 그리 살게 만든 이유와 같다."[24]

나는 다시 에스겔에게 왜 똥을 먹고, 그리도 오랫동안 오른쪽과 왼쪽 옆구리로 누워 있느냐고 물었다.[25] 그가 대답하였다. "다른 사람들을 일깨워서 무한한 신을 깨닫게 하고 싶은 바람 때문이다. 그것은 북아메리카 부족들의 습관적인 행동이다.[26] 오로지 현재의 안락이나 만족을 위해 자신의 천성이나 양심을 거스르는 자가 과연 정직하겠는가?"

세상이 6천 년 후에 불에 타서 소멸할 것이라는 고대의 전설은, 내가 지옥에서 들었던 대로, 사실이다.

그 결과로 불타는 검을 쥔 천사, 그룹이 생명의 나무를 지키는 경계를 풀고 떠나라는 명령을 받을 것이기에,[27] 그가 떠나고 나면, 모든 피조물이 전소되어, 무한하고 성스러워 보일 것이다. 그에 반하여 지금은 모두 유한하고 타락한 것처럼 보인다.

이런 상황이 감각적인 기쁨의 향상을 낳을 것이다.

그러나 먼저 인간이 자신의 영혼과 구분되는 몸을 지니고 있다는 생각부터 지워야 한다. 나는 지옥의 방식으로 인쇄해서 그 생각을 지울 것이다. 이 부식제는 지옥에서는 유익한 약물로, 눈에 보이는 표면들을 녹여 없애고, 숨겨져 있는 무한을 드러낸다.

인식의 문들이 깨끗하게 씻기면 인간에게 모든 것이 있는 그대로—무한하게 보일 것이다.

인간이 내내 갇혀 지내다가, 마침내 자기 동굴의 좁은 틈새들을 통해 만물을 볼 것이기 때문이다.

기억할 만한 환상

A Memorable Fancy

나는 지옥의 한 인쇄소에 있었고, 지식이 세대에서 세대로 전해지는 방식을 목격하였다.

첫 번째 방에서는 한 '용-인간'이 한 동굴의 입구에서 폐기물을 치우고 있었고, 그 안에서 많은 용들이 동굴을 파내고 있었다.

두 번째 방에서는 독사 한 마리가 바위와 동굴을 휘감고 있었고, 다른 독사들이 금, 은과 보석들로 그 바위와 동굴을 장식하고 있었다.

세 번째 방에는 공기의 날개와 깃털을 지닌 독수리 한 마리가 있었다. 그 독수리가 동굴 내부를 무한하게 만들었다. 그 주위에 수많은 독수리 같은 사람들이 있었는데, 그 독수리들이 그 거대한 절벽들 속에 궁전들을 세웠다.

네 번째 방에서는 불타는 불꽃 같은 사자들이 돌아다니며 금속들을 녹여서 펄펄 끓는 용액으로 만들고 있었다.

다섯 번째 방에는 이름 모를 형체들이 있었는데, 그 형체들이 그 액화 금속들을 넓은 틀에 부어서 본을 떴다.

이 본들이 여섯 번째 방을 점유하고 있는 사람들에게 인계되어 책의 형태들이 갖추어졌으며 이내 도서관들에 진열되었다.[28]

이 세상에 감각적인 존재 형태를 부여하고, 지금 그 안에서 사슬에 묶여 사는 듯이 보이는 **거인들**[29] 이 사실은 그 삶의 원인이자 모든 활동의 근원이다.

그러나 그 사슬들은 약하고 온순한 마음들의 간사한 꾀들에 불과하다. '용기에 약한 자는 잔꾀에 강하다'는 격언에 따르면, 그런 마음들은 에너지에 저항하는 힘을 지니고 있다.

이렇듯 존재의 한 몫은 **생산하는 힘**이요, 다른 한 몫은 **탐식하는 힘**이다. 탐식하는 자에게는 생산자가 자신의 사슬들에 얽매어 있는 것처럼 보이지만, 사실은 그렇지 않다. 그는 그저 존재의 일부를 취해서 그것을 전부라고 생각할 뿐이다.

생산자의 넘치는 기쁨들을 탐식하는 자가 바다처럼 수용하지 않는다면 생산자는 많이 생산하고 싶지 않을 것이다.

혹자는 말할 것이다. "하나님만이 생산자가 아닌가?" 나는 대꾸한다. "하나님은 오로지 현존하는 존재들이나 사람들 안에서 행하고 존재할 뿐이다."

이 두 부류의 사람들이 항상 지상에 존재하며, 그들은 서로 적이어야 한다. 누구든 그들을 화해시키려고 하는 자는 존재를 파괴하려는 것이다.

종교가 그 둘을 화해시키려고 하는 한 가지 시도다.

참고. 예수 그리스도는, 양과 염소의 우화에서 보듯이, 그 둘을 결합하는 것이 아니라 갈라놓기를 바랐다! 그래서 그는 말한다. "나는 평화가 아니라, 칼을 주려고 왔다."[30]

메시아 또는 사탄 또는 유혹자는 옛날에는 대홍수 이전의 사람들에 속한다고 생각되었으나 지금은 모두가 우리의 에너지원이다.

기억할 만한 환상

A Memorable Fancy

한 천사가 나에게 다가와서 말했다.

"오 가엾고 어리석은 젊은이! 아 소름 끼치는! 끔찍한 몰골이여! 너는 온통 영원의 세상으로 떠날 작정을 하고 그곳으로 통하는 그런 길을 가려 하지만, 먼저 그 뜨겁게 불타는 지하 감옥부터 고찰해 보아라."

내가 말했다.

"혹시 네가 나에게 나의 영원한 운명을 보여주고자 한다면, 둘이 함께 그 운명에 대해 심사숙고해 보고, 정말로 바람직한 운명이 너의 운명인지 아니면 나의 운명인지 알아보자."

그리하여 그 천사가 나를 데리고 마구간을 지나고 교회를 통과하여 그 교회의 지하 납골당으로 내려갔다. 그 납골당 끝에 물방앗간이 있었다.[31] 우리는 그 물방앗간으로 들어갔다가, 한 동굴에 다다랐다. 그 꼬불꼬불한 동굴을 따라서 우리는 더듬거리며 지루하게 내려갔다. 그런데 우리 밑으로 하계의 하늘처럼 무한한 공간이 느닷없이 나타나서, 우리는 나무의 뿌리들을 부여잡고 이 무한 공간 위에 매달렸다.

그러나 내가 말했다.

“너만 좋다면 함께 이 공간에 우리의 몸을 맡기고, 여기에도 섭리가 있는지 알아보자. 네가 싫다고 해도 나는 할 것이다.” 그런데 그가 대꾸했다. “오 젊은 사람아, 추정하지 말고, 여기에 가만히 있다가, 너의 운명을 지켜보아라. 어둠이 걷히면 곧 나타날 테니까.”

그래서 나는 참나무의 뒤틀린 뿌리에 앉아서 천사와 함께 가만히 있었다. 천사는 그 심연으로 대가리를 처박고 매달린 버섯에 걸려 있었다.

서서히 어느 불타는 도시의 연기처럼 타는 듯한 무한한 심연이 우리의 눈에 들어왔다. 우리 밑으로 헤아릴 수 없는 거리에 태양이 있었고, 거뭇했으나 빛나고 있었다. 불타는 궤도들이 그 태양을 감싸고 있었고, 거대한 거미들이 그 궤도를 따라 돌면서 먹이를 쫓아 기어 다녔다. 그 무한한 심연에서 거의 헤엄치다시피 달아나는 먹이들은 부패물에서 생겨난 너무나 소름 끼치는 형체의 동물들이었다. 대기가 그 동물들로 가득 차서, 마치 그것들로 이루어져 있는 것 같았다. 이것들은 악마들이며, 대기의 권력자들로 불린다. 나는 그제야 나의 동행에게 어떤 것이 나의 영원한 운명이냐고 물었다. 그가 말했다. “검은 거미들과 하얀 거미들 사이다.”

그런데 그때, 그 검은 거미들과 하얀 거미들 사이에서 구름과 불꽃이 터져 나와 심연을 뚫고 굴러가며, 그 밑을 온통 검게 물들였다. 그래서 그 하계의 심연이 바다처럼 거뭇하게 변하여, 끔찍한 소리를 내면서 굽이쳤다. 우리 밑으로는 이제 검은 폭풍 외에는 아무것도 보이지 않았다. 그런데 그 구름과 파도들 사이로 동쪽을 응시하고 있던 우리의 눈에 마침내 불꽃이 뒤섞인 피의 폭포가 눈에 들어왔다. 그리고 우리로부터 그리 멀지 않은 거리에서 돌돌 말린 거대한 뱀의 비늘로 뒤덮인 몸이 나타났다가 다시 가라앉았다.

마침내 동쪽으로 대략 3도 거리에서,[32] 불타는 듯한 목덜미 하나가 파도 위로 불쑥 나타나, 마치 금빛 바위 능선처럼 서서히 몸을 곧추세우더니, 심홍색 불꽃 같은 두 눈알을 드러냈다. 그 눈알들에서 바닷물이 연기구름처럼 빠져나왔고, 그제야 우리는 그것이 레비아단의 대가리임을 알았다. 그 괴물의 앞 대가리가, 마치 호랑이의 이마에 난 무늬처럼, 녹색과 보라색의 줄무늬들로 나뉘어 있었다. 이윽고 우리는 그 괴물이 입과 붉은 아가미를 발광하는 거품 위에 내걸고, 검은 심연을 핏줄기로 물들이며, 초자연적인 존재의 온갖 격분을 품은 채 우리를 향해 돌진해 오는 모습을 보았다.

나의 친구 천사가 자기 자리에서 기어올라 물방앗간으로 들어가 버렸다. 나는 혼자 남아 있었는데, 어느새 그 괴물의 모습은 사라져 버리고, 내가 달빛 깃든 어느 강가의 쾌적한 둑에 앉아서, 하프 반주에 맞춰 노래하는 어떤 하프 연주자의 노래를 듣고 있는 것이었다.[33] 그의 주제는 "자신의 견해를 절대로 바꾸지 않는 사람은 괴어 있는 물과 같아서, 마음의 파충류들을 낳는다"라는 것이었다.

그러나 나도 일어나서 물방앗간을 찾았고, 거기서 나의 천사를 발견했다. 그가 화들짝 놀라며 나에게 물었다. 어떻게 도망쳤어?

내가 대답했다. "우리가 보았던 모든 것이 너의 형이상학 때문이었어. 네가 달아나 버렸을 때, 나는 달빛 깃든 어느 강둑에서 하프 연주자의 노래를 듣고 있는 나 자신을 발견했으니까. 그럼 이제 우리가 나의 영원한 운명을 보았으니, 내가 너의 운명을 보여 줄까?" 천사가 나의 제안을 비웃었으나, 내가 힘으로 그를 와락 끌어안고 밤을 헤치며 서쪽으로 날아가다가, 마침내 우리는 지구의 그림자 위로 상승하였다. 그 후에 나는 나의 몸을 내던져서 그와 함께 태양의 몸속으로 곧장 들어갔다. 여기서 나는 하얀 옷으로 갈아입고, 스베덴보리의 책들을 손에 쥔 채 그 찬란한 영토에서 가라앉았다. 그리고 모든 행성들을 지나서 마침내 우리는 토성에 도착하였다. 여기서 나는 머물며 잠시 쉬었다가 토성과 움직이지 않는 별들 사이의 공간으로 뛰어들었다.[34]

"여기에" 내가 말했다. "너의 운명이 있어, 이 공간 속에. 이곳이 공간이라고 불릴 수 있다면 말이야." 이내 우리는 그 마구간과 교회를 보았고, 나는 천사를 데리고 제단으로 가서 성서를 펼쳤는데, 하! 그것은 깊은 구덩이였다. 나는 내 앞의 천사를 몰아붙이며 그 구덩이 속으로 내려갔다. 이윽고 우리는 일곱 채의 벽돌집을 보았고, 그중 한 집으로 들어갔다.[35] 그 안에서 수많은 원숭이, 비비, 그와 유사한 온갖 종들이 허리에 사슬을 찬 채, 이빨을 드러내놓고 싱글거리며 서로를 잡아채려고 난리를 피웠다. 그러나 짧은 사슬 때문에 번번이 제지를 당했다. 그런데 그 동물들의 수가 수시로 무수히 불어나더니, 약자들이 강자들에게 붙들려서 씩 웃는 표정으로 교미를 당하고 곧장 잡아먹히는 것이었다. 처음에는 한쪽 팔다리가 뜯겨나가고 다시 다른 쪽 팔다리도 뜯겨나가더니 어느새 몸은 의지할 데 없는 몸통만 남았다. 그놈들은 다정스럽게 씩 웃으며 이 몸통에 입을 쪽 맞추고 게걸스럽게 먹어 치웠다. 자기 꼬리의 살점을 맛있게 뜯어먹는 놈도 보였다. 악취가 끔찍하게 우리 둘을 괴롭혀서 우리는 물방앗간으로 들어갔다. 나는 한 시체의 해골을 손에 들고 갔는데, 물방앗간에 들어가서 보니, 아리스토텔레스의 『분석학』[36]이었다.

이윽고 천사가 말했다. "너의 환상이 나를 속였어. 부끄러운 줄 알아라."

내가 대꾸했다. "우리 둘 다 서로를 속이잖아. 너랑 대화하면 괜히 시간만 낭비하는 거야. 네가 하는 일들은 고작 분석일 뿐이니까."

대립이 진정한 우정이다.

나는 천사들에게는 자신들이 유일한 현자라고 말하는 허영심이 있음을 익히 알고 있었다. 이렇게 그들이 오만하게 구는 것은

체계적인 추론에서 싹트는 확신 때문이다.

그래서 스베덴보리도 자신이 쓰는 글이 새롭다고 자랑한다. 그러나 그 글은 그저 이미 출판된 책들의 목차 혹은 색인에 불과하다.

한 남자가 쇼를 보여주려고 원숭이 한 마리를 데리고 다녔는데, 그가 그 원숭이보다 약간 더 똑똑하다고 우쭐해져서, 자기가 일곱 명의 사람보다도 훨씬 현명하다고 생각하기에 이르렀다. 스베덴보리도 마찬가지다. 그는 교회들의 어리석음을 보여주고 위선자들을 폭로하다가, 결국에는 모든 것이 종교적이라며, 지상에서 지금껏 그 어떤 그물이라도 벗고 나온 유일한 사람은 자기뿐이라고 상상하기에 이른다.

자, 평범한 사실 한 가지를 들어보라. 스베덴보리는 단 하나의 새로운 진실도 쓰지 않았다. 자, 또 한 가지를 들어보라. 그는 온갖 낡은 거짓들을 썼다.

그럼 이제 그 이유를 들어보라. 그는 아주 종교적인 천사들과 대화를 나누었고, 종교를 아주 싫어하는 악마들과는 대화를 나누지 않았다. 왜냐하면 그는 자신의 오만한 관념들을 꿰뚫어 보지 못했기 때문이다.

그러므로 스베덴보리의 글들은 모든 피상적인 의견들의 요약이요 한층 숭고한 견해들의 분석일 뿐, 그 이상은 아니다.

자, 또 하나의 평범한 사실이 있다. 기계적인 재능을 지닌 사람은 누구나 파라셀수스나 야코프 뵈메[37]의 글들에서 스베덴보리의 글들과 동등한 가치를 지닌 1만 권의 책을 낼 수 있고—단테나 셰익스피어의 글들에서 무한한 수의 책을 만들어 낼 수 있다.

그러나 그 사람이 이런 일을 해냈다고 해서, 그가 그의 스승보다 더 잘 안다고 말하지 않게 하라. 그는 햇빛 속에서 겨우 촛불 하나를 쥐고 있을 뿐이기에.

기억할 만한 환상

A Memorable Fancy

언젠가 나는 불길에 휩싸인 악마를 보았는데, 그 악마가 구름 위에 앉아 있던 천사 앞에서 일어나, 이런 말을 내뱉었다.

"하나님에 대한 경배는, 각자가 자신의 천성에 따라서, 다른 사람들 속에 들어 있는 하나님의 선물들을 공경하고, 가장 위대한 사람들을 최고로 사랑하는 일이다. 위대한 사람들을 질투하거나 비방하는 자들은 하나님을 미워한다. 세상에 다른 하나님은 없기 때문이다."

천사가 이 말을 듣고 거의 파리해졌으나, 마음을 다잡고 놀놀해졌다가, 마침내 연분홍색으로 변하여 미소하고 이렇게 대꾸하였다.

"이 우상 숭배자야, 하나님은 한 분이 아니냐? 그리고 그분은 예수 그리스도 안에서 보이지 않느냐? 또 예수 그리스도가 십계명의 율법을 재가하지 않았느냐, 그리고 다른 사람들은 모두 바보들, 죄인들, 하잘것없는 존재들이 아니냐?"

악마가 대답했다.

"바보를 밀과 함께 회반죽에 넣고 빻아본들, 그의 어리석음이 으깨져서 몸에서 빠져나가는 일은 없을 것이다.[38] 만약에 예수 그리스도가 가장 위대한 사람이라면, 너는 마땅히 그분을 가장 많이 사랑해야 한다. 이제 그가 어떻게 십계명의 율법을 재가했는지 들어보아라. 그가 안식일을 비웃지 않았느냐, 그렇다면 안식일의 하나님을 조롱한 게 아니냐?[39] 그분 때문에 살해된 자들을 죽이지 않았느냐? 간통죄로 붙잡힌 여자로 인하여 율법을 외면하지 않았느냐? 다른 이들의 노동을 훔쳐서 그분을 받들게 하지 않았느냐? 그가 빌라도 앞에서 변론하지 않았을 때 거짓 증언을 받아들인 것이 아니냐? 그가 제자들을 위해 기도했을 때, 또 그가 그 제자들에게 발에 묻은 먼지를 털어내야 거절당하지 않고 잠자리를 얻을 것이라고 일렀을 때, 탐내지 않았느냐?[40] 내가 장담하는데 이 십계명을 어기지 않고는 어떤 미덕도 존재할 수 없다. 예수는 온통 미덕이었고, 규칙들 때문이 아니라, 충동에 따라 행동하였다."

악마가 그렇게 말했을 때 나는 천사를 바라보았는데 천사가 양팔을 쭉 뻗으며 불길을 끌어안더니, 어느새 타서 엘리야처럼 솟구쳤다.[41]

참고. 이 천사는 이제 악마로 변한 나의 특별한 친구다. 우리는 종종 함께 성서를 읽곤 하는데, 이 성서는 세상이 잘 처신하면 가지게 될 지옥의 성서 또는 악마의 성서다.

나도 『지옥의 성서』를 가지고 있다—세상도 의지에 상관없이 그 성서를 갖게 될 것이다.

사자와 황소에게 어울리는 한 가지 법칙이 압박이다.

자유의 노래[42]

A Song of Liberty

1. 영원한 여인[43]이 신음하였다. 그 소리가 온 대지에 울려 퍼졌다.
2. 앨비언[44]의 해안이 병들어 고요하고, 아메리카의 초원이 생기를 잃는다!
3. 예언의 그림자들이 호수들과 강들을 따라 전율하고, 대양을 가로지르며 속삭인다. 프랑스여, 너의 지하 감옥을 산산이 부수어 무너뜨려라![45]
4. 금빛의 스페인이여, 옛 로마의 장벽들을 터뜨려라!
5. 오 로마여, 너의 열쇠들[46]을 심연으로 던져버려라—추락하도록, 영원히 추락하도록,
6. 그리고 울어라.[47]
7. 떨리는 두 손으로 그녀가 새로-태어난 공포[48]를 받아 안고 울부짖었다.
8. 이제는 대서양의 바닷물에 갇혀 꺼져버린 빛의 저 무한한 산맥[49] 위에, 그 새로-태어난 불꽃이 별들의 왕[50] 앞에 섰다!
9. 잿빛-이마의 눈발과 우레 같은 얼굴들에 시달린 질투의 날개들이 심연 위에서 팔랑거렸다.
10. 창 같은 손이 드높이 불타올라, 방패의 죔쇠가 풀리면서, 질투의 손이 불타는 머리칼을 헤집고 빠져나와, 그 새로-태어난 경이를 별 총총한 밤하늘로 던져버렸다.
11. 불꽃, 불꽃이 추락하고 있다!

12. 위를 보라, 위를 보라! 오 런던의 시민들이여, 너희의 원조를 확대하라. 오 유대인들이여, 황금을 그만 세라! 너희의 기름과 포도주로 돌아가라, 오 아프리카인, 검은 아프리카인들이여! (가라, 날개 달린 생각이여, 그의 이마를 넓혀주어라!)

13. 그 불타는 팔다리, 타는 듯이 붉은 머리칼이 서쪽 바다로 가라앉는 태양처럼 반짝거렸다.

14. 영원한 잠에서 깨어난 서리 빛깔의 원소[51]가 아우성치며 달아났다.

15. 질투의 왕이 헛되이 날갯짓하며, 쇄도하여 내리 덮쳤다. 왕의 회색 눈썹 고문들, 우레같은 병사들, 곱슬머리의 노병들이 투구들과 방패들과 전차들과 말들과 코끼리들과 깃발들과 성들과 투석기들과 바위들 사이에서

16. 추락하고, 돌진하다가, 파멸하였다! 폐허 속에 묻혔다, 우르토나[52]의 굴들 위에서.

17. 밤새도록 폐허에 묻혀 있다가, 점점 희미해지던 그들의 음침한 불꽃들이 나타나서 침울한 왕을 에워싼다.

18. 천둥과 불꽃을 거느린 채, 자신의 별 군대를 이끌고 그 황량한 황무지를 빠져나온 왕이 자신의 열 가지 명령을 공포하고, 빛나는 눈꺼풀을 흘깃거리며 검은 낙담에 젖은 심연을 내려다보았다.

19. 불의 자식이 동녘의 구름 속에 숨어 있는 곳에서, 아침이 자신의 금빛 가슴을 깃털로 장식하고

20. 저주들이 적혀 있는 구름들을 걷어차며, 돌처럼 굳은 율법[53]을 짓밟아 가루로 만들어 버리고, 밤의 굴들에서 영원한 말馬

들을 풀어주며 외친다.

제국은 더 이상 없다! 이제 사자와 늑대가 멈출 것이다.[54]

합창

Chorus

새벽의 까마귀 사제들이 더 이상 활기 없는 검은 옷을 입고서 쉰 목소리로 기쁨의 자식들을 저주하지 않게 하라. 압제자가 더 이상 자유를 선포해 놓고 그것을 받아들인 형제들에게 경계를 짓거나 한도를 정하지 않게 하라. 더 이상 창백한 종교의 호색한이 바라기만 할 뿐 실천하지 않는 저 순결을 부르짖지 않게 하라!

살아 있는 모든 것이 성스럽기 때문이다.

미주

Ⅰ. 시로 그린 그림 : 『시적 소묘』

1 왕의 지팡이 또는 지휘봉으로 왕의 권위를 상징한다.

2 헤클라산Mount Hecla은 아이슬란드 남부에 있는 해발 1,557m의 활화산. 산의 이름은 노르만어로 '여러 색의 모자를 쓴 모직 외투'라는 뜻으로, 하얀 눈 외투를 입고 짙은 연기와 바위 모자를 쓴 것처럼 보인다는 데서 유래하였다.

Ⅱ. 어린 시절에는 메아리치는 녹색 풀밭에서 놀았지 : 『순수의 노래』

1 "구름 위에 있는 한 아이"는 블레이크의 '신비로운 체험들' 중 한 예로 보인다.

2 "어린 양"은 순진무구한 아이와 예수 그리스도를 아우르는 표현이다.

3 『신약성서』 「요한계시록」 22장 1절~2절 참고: '그러고 나서 천사는 생명수가 흐르는 강을 내게 보여주었습니다. 수정처럼 맑은 그 강은 하나님과 어린양의 보좌로부터 흘러 나와서 그 도성의 넓은 거리 한가운데를 흐르고 있었습니다. 그 강의 양쪽 언덕에는 열두 종류의 열매를 맺는 생명나무가 달마다 새 열매를 맺고 있었고, 그 나뭇잎은 온 세계의 민족들을 치료하는 약으로 사용되었습니다.' 이후의 주석에서, 기독교 성서의 내용은 『현대어 성경』(성서교재간행사, 1991)에 준하여 언급하거나 인용하겠다.

Ⅲ. 달콤한 미소들이 기쁨 위를 맴돌 때
:『순수의 노래』

1 『구약성서』「이사야」 43장 7절 참고: '그들[이스라엘의 아들들과 딸들]은 모두 내 이름을 품고 다니는 백성이다. 나의 영광을 위하여 내가 그들을 창조하고 직접 손으로 빚어서 만들어 놓았다.'

2 19세기 후반 당시의 자선 학교 학생들이 입은 일종의 교복으로, 이외에 회색과 주황색의 옷을 입었다고 전해진다.

3 영국사에서 "빈자들의 현명한 보호자들"은 구빈법에 의해 구성된 위원회, 구빈 위원 또는 빈민구제법 시행위원들을 말한다.

4 『신약성서』「히브리서」 13장 1절~2절 참고: '진실한 형제애를 가지고 꾸준히 서로 사랑하십시오. 잊지 말고 나그네에게 친절히 대하십시오. 늘 나그네를 잘 대접하던 어떤 사람은 자신도 모르는 사이에 천사를 대접한 일도 있습니다.'

5 "뚣어! 뚣어!"(weep! weep!)는 '뚫어! 뚫어!'(sweep! sweep!)의 혀짤배기소리.

6 도깨비불을 말한다.

Ⅳ. 기쁨은 웃지 않고 슬픔은 울지 않는다
:『경험의 노래』

1 『구약성서』「창세기」 3장 8절~9절 참고: '두 사람[타락한 아담과 이브]은 서늘한 바람이 부는 저녁 무렵에 여호와 하나님께서 동산

을 거니시는 소리를 들었다. 그래서 그들은 하나님의 눈에 띄지 않으려고 얼른 동산에 있는 나무들 사이에 몸을 숨겼다. 그러나 여호와 하나님께서는 아담을 찾으시며 "네가 어디 있느냐?"하고 부르셨다.'

2 하늘의 별이 빛을 발하여 지상에 꽂히는 장면, 혹은 별의 빛살이 하늘에서 땅까지 이어져서 "별빛 장대"를 이루는 장면을 상상해 볼 수 있겠다.

3 블레이크의 시에서 빈번하게 나오는 "별 마루"(별 총총한 하늘)는 흔히 '엄격한 이성적 질서'를 상징하고, "물 기슭"(바다)은 카오스(혼돈)를 상징한다. 그래서 대지가 '고개를 돌린다'라고 할 수 있으며, 그 구체적인 이유는 이 「서시」에 대한 답가 「대지의 대답」(6장의 첫 시)에 표현되어 있다.

4 1~2행의 "인가받은"chartered은 헌장, 인가장, 특허장 등의 뜻으로 쓰이는 단어 'charter'에서 유래한 말로, 런던 거리에 즐비한 상점들의 인·허가증, 통행증이나, 템스강의 출입권, 어업권 등을 연상시키는 표현이다. 런던은 전형적인 자본주의 도시로, 블레이크가 주목하는 것은 '인가나 특허'를 받지 못한 채 비참하게 살아가는 소외계층이다.

5 이 행은 흔히 성병에서 연유하는 '눈이 보이지 않는 아기의 출생'으로 읽힌다.

6 대개, 바로 앞 행과 연계해서, 결혼 꽃마차(우리식으로는 '꽃가마')가 역병(성병)으로 인하여 "결혼 영구차"로 변하고 말았다는 뜻으로 읽히기에 본문과 같이 옮겼으나, "영구차"로 번역한 원어hearse는 가톨릭에서 성주간에 쓰이는 '삼각 촛대'를 의미하므로, 마지

막 행을 "역병으로 결혼 촛대를 검게 물들이는지."로 옮겨도 무방하겠다.

7 이 시는 3장 두 번째에 배치한 「양」과 대조를 이루는 작품으로, 양이 인간 영혼의 순수하고 온화한 측면을 대변한다면, 호랑이는 그 반대의 두렵고 위험한 측면을 대변한다. 첫 연과 마지막 연의 "무서운 균형"이라는 표현이 암시하듯, 호랑이 역시 '무섭지만 완벽한 균형을 갖춘' 존재다.

8 『구약성서』 「창세기」 1장 1절~2절 참고: '태초에 하나님이 하늘과 땅을 창조하셨다. 땅은 아직도 제대로 꼴을 갖추고 있지 않은 상태였으며, 또한 아무것도 생겨나지 않아 쓸쓸하기 그지없었다. 깊디깊은 바다는 그저 캄캄한 어둠에 휩싸여 있을 뿐이었고 하나님의 영이 그 어두운 바다 위를 휘감아 돌고 있었다.'

9 블레이크는 '쇠를 벼려서 호랑이를 만드는 과정'을 통해, "어떤 불멸의 손 아니면 눈"(조물주 하나님)을 홍미롭게도 대장장이(일종의 산업역군)에 비유하고 있다.

10 앞 행과 함께, 두 행은 흔히 밀턴(John Milton, 1608-1674)의 『실낙원』(Paradise Lost, 1667) 제2권(745행 이하 참고)에서 묘사되는 '천국의 전쟁'과 연계하여, '루시퍼의 주도로 천국에서 일어난 천사들의 반란과 항복 장면'을 연상시키는 표현으로 읽힌다. 밀턴의 작품에서는 예수 그리스도가 번개로 반란군을 진압하여 지옥의 심연으로 추방하지만(제6권 856~866행 참고), 이 시에서는 '호랑이'가 그 역할을 대신한다.

11 "러치"Lurch는 '(사냥감을 찾아) 숨다, 헤매다'라는 뜻으로, 원문에서는 "교회"Church와 '운'을 이룬다. 블레이크는 이 단어를 통해, 다음

행의 표현과 연계해서, 아이들에게 '현재의 교회는 꾸짖고 굶기고 때리는 곳, 혹은 그런 구실을 찾아서 아이들을 괴롭히는 곳'이라고 암시 · 비판하고 있다.

V. 분노를 말하지 않으니 분노가 자랐다 : 『경험의 노래』

1 이 시는 이 책의 3장 「신의 형상」과 상반되는 내용으로, 서로 짝을 이루는 작품이다. 「신의 형상」의 "자비, 연민, 평화와 사랑"이 「인간의 추상」에서는 '착취, 무자비, 갈등과 위선적인 겸손'으로 그려진다. 이 모두가 인간의 "추상"(뇌 혹은 "신비의 나무")에서 나고 자란다는 우의적인 작품이다.

2 "따분한 소나기 소리"는 선생님(들)의 잔소리 혹은 그런 강의를 연상시키는 표현.

3 아버지의 "다정한 눈길"에 소녀가 두려워서 벌벌 떠는 상황이, 언뜻 보면, '모순' 같지만, 시 속의 아버지는 소녀의 기쁨에 진심으로 공감하는 것이 아니라, '사랑하고 용서하라'라는 성경의 말씀 때문에 '다정하게' 보일 뿐이다. 마지막 연에서 소녀의 (잘못된) 처신을 따져 묻는 '매우 윤리적인' 아버지의 실제 모습이 그대로 드러난다.

Ⅵ. 봄은 꽃 피는 환희를 숨길 수 없기에 :『경험의 노래』

1 「대지의 대답」은 4장 「서시」에서 시인의 목소리로 전달되는 하나님의 거룩한 말씀("오 대지여, 오 대지여, 돌아오라!" 이하)에 대지가 답하는 형식의 작품이다.

2 이 행의 원문Her light fled에서 "그녀의 빛"은 대지의 '얼굴'을 표현하기에, '핏기'를 연상시키는 "빛기"로 옮겼다.

3 "별 총총한 질투"tarry jealousy에서는 재미난 발상이 엿보인다. 밤하늘의 별들은 감옥(굴)에 갇힌 '대지'의 감시자들, 즉 하나님의 파수꾼들이다. 대지의 눈에 비친 신이 '공포의 신이자 이기적인 아버지'이기에, 그의 파수꾼 별들도 그 주인을 닮아서 질투의 빛을 쏘아댄다고 할 수 있겠다.

4 "그 선고"는 '잠'을 가리킨다. 잠은 신이 대지에 내린 일종의 '벌'이다.

5 전통적으로, 장미는 사랑의 상징, 백합은 순결의 상징으로 통한다.

6 성 목요일은 예수가 제자들과의 최후의 만찬 후에 겟세마네 동산에서 고뇌하다가 체포된 날이다. 『신약성서』「요한복음」에서 예수가 제자들의 발을 씻어주는 장면(13장 1~20절 참고)을 떠올리며, 성 목요일 예배에서는 대부분의 교회가 성체성사를 하고, 신도들이 '서로를 섬긴다'라는 의미에서 다른 신도의 발을 씻어주는 의식을 치르기도 한다. 영국에서는 오래전부터 성 목요일 예배를 볼 때 왕이 빈민들을 초대해서 발을 씻어주는 관습이 있었으며, 지금은 공익을 위해 노력한 사람(주로 노인)에게 돈을 주는 방식으로 바뀌었다. 이날 런던의 자선 학교에 다니는 학생들이 성 바울 성당까지 행

진해서 그곳에서 예배를 보는 풍습이 있었는데, 3장에 배치한 또 다른 시 「성 목요일」에 그 장면이 묘사된다.

7 디르사Tirzah는 희랍어로 '그녀는 나의 기쁨'이라는 뜻으로, 성서에서 므낫세 지파 슬로브핫의 다섯 딸 중 한 명으로 등장한다. 슬로브핫의 딸들은 광야에서 생활하다가 아들을 낳지 못하고 죽은 아버지의 상속권 문제를 모세에게 제기해서, 딸들이 가업을 상속받을 수 있는 일종의 특례법을 제정하는 데 일조한다(『구약성서』 「민수기」 27장 1~11절 참고). 그러나 이 시의 디르사는 '성적인 기쁨, 또는 환희'의 상징으로서 '어머니'를 말한다. 그 성적 환희의 결과물인 자식이 어머니에게 '자기를 왜 낳았느냐?'고 원망하는 투의 이 짧은 시에는, 놀랍게도 아담과 이브의 원죄로 인한 인간의 타락, 타락 이후의 삶, 불에 의한 세상의 파멸과 최후의 심판, 예수의 속죄와 부활에 대한 전망 등과 같은 중요한 기독교 역사가 압축적으로 표현되어 있다.

8 『신약성서』 「마태복음」 8장 28절~29절 참고: '예수께서 건너편 가다라 지방에 도착하셨을 때 귀신 들린 두 사람이 예수를 만나게 되었다. 그들은 무덤에서 살고 있었는데 너무도 사나워서 아무도 근처를 지나다닐 수가 없었다. 그런데 그들이 갑자기 소리를 질렀다. "오, 하나님의 아들이여, 우리를 어떻게 하시렵니까? 아직 때가 되지도 않았는데 찾아와 우리를 괴롭히실 작정입니까?"' 그리고 『신약성서』 「요한복음」 2장 3절~4절 참고: '[가나의 결혼 잔치 장면에서] 그런데 잔치를 하는 도중에 포도주가 떨어지자 예수의 어머니가 이 문제를 예수께 의논하였다. 예수께서 말씀하셨다. "지금은 하는 수 없습니다. 아직 내 때가 오지 않았습니다."'

Ⅶ. 사랑과 증오는 한 가지에서 만난다 : 『천국과 지옥의 결혼』

1 「서시」의 원문Argument은 본래 '논거, 개요 또는 주제'라는 뜻으로, 이 「서시」에서 블레이크는 '거짓된 종교가 진리의 길을 침범했다'라는 『천국과 지옥의 결혼』의 주요 주장과 내용을 비유적으로 표현하고 있다. 더 자세히 감상하고 싶은 독자는 다음 사이트에서 『천국과 지옥의 결혼』의 디지털 원본 이미지를 감상할 수 있다. https://www.loc.gov/resource/rbc0001.2003rosen1799/?st=gallery

2 '분노한 천둥 신'처럼 묘사되는 린트라Rintrah는 블레이크의 신조어로, '혁명적인, 또는 정의로운 분노'를 의인화해서 표현한 것이다. 린트라는 '광야에서 울부짖는 목소리'(『신약성서』「마태복음」 3장 참고)로 통하는 구약의 마지막 예언자 세례 요한, 또는 분노의 예언자 엘리야를 연상시킨다. 『구약성서』「열왕기하」 2장 11절~12절 '엘리야의 승천' 장면 참고: '그들[엘리야와 엘리사]이 이렇게 이야기하면서 걸어가는데, 갑자기 불말들이 끄는 불수레가 달려와서 그 둘 사이를 갈라놓으며 엘리야를 회오리바람에 휘감아 하늘로 데려갔다. 엘리사가 그것을 보고 외쳤다. "나의 아버지여, 나의 아버지여! 이스라엘을 지키던 전차와 마병이시여!"' 「서시」의 2~5연은 인간의 타락 이후 『구약성서』 역사(2연), 예수의 탄생기(3연), 기독교 혹은 기독교 정신이 왜곡되어 제도적인 종교로 굳어진 시기(4연), 당대(프랑스혁명 시기)에 이르는 '기독교 역사'에 대한 일종의 개괄이다.

3 하늘("심연")에 짙게 낀 구름이 파도처럼 굽이치는 장면을 연상시

킨다.

4 앞 행과 함께, 두 행을 '(대지의) 하얗게 빛바랜 뼈들(바위들)에 붉은 진흙(대지의 살, 혹은 비옥한 땅)이 돋아났다'라는 식으로 풀어볼 수 있겠다. 이 두 행은 여호와께서 무수한 뼈들에 생기를 불어넣어서, 죽은 이스라엘의 백성들을 소생시키는 장면(『구약성서』「에스겔」37장 1절~14절 참고)을 떠올리게 한다. "붉은 진흙"이 '붉은 흙의 자식'을 뜻하는 히브리어 아담Adam을 강하게 상기시킨다는 점에서, 「창세기」 2장 7절에 기술된 '인간의 창조' 장면("여호와 하나님께서 땅의 흙으로 사람을 빚으시고 그 코에 생기를 불어넣으셨다. 그러자 사람이 살아 움직이기 시작하였다.")이 떠오르지만, 본문의 상황은 '인간의 타락 이후'를 말하므로, '새로운 시대, 새로운 아담(사람)의 탄생'에 대한 예언에 가깝다.

5 이 연의 "음험한 뱀"은 이후에 전개되는 시에서 "천사들"의 사제를 대변하고, "의인"은 악마로 가장하여 분노하는 시인이자 예언자, 블레이크 자신의 모습으로 나타난다.

6 에마누엘 스베덴보리(Emanuel Swedenborg, 1688-1772)는 스웨덴의 과학자이자 종교적 신비주의자로, 자신의 신비적 체험에 근거하여 1757년에 최후의 심판과 함께 천국이 도래할 것이라고 예언하였다. 희한하게도, 1757년은 블레이크가 태어난 해요, 그가 이 시를 짓기 시작했을 때(1790년)의 나이가 33세(예수가 무덤에 묻혔다가 부활한 나이)였다. 달리 말해서, 블레이크 자신이 죽은 스베덴보리와 재림한 예수의 역할을 이어받아, "수의"를 벗어버리고 새롭게 태어났다고 주장하는 것이다. 그러나 블레이크는 스베덴보리의 "새로운 천국"이 아니라, "영원한 지옥"이 부활한다고 주장한다. 블레

이크에게 "영원한 지옥"의 부활은 '지옥 같은' 에너지, 또는 상상력의 부활을 의미한다. 다만, 블레이크는 스베덴보리의 "새로운 천국"을 배척하는 게 아니라, 그 천국과 "영원한 지옥"의 결합("천국과 지옥의 결혼")을 통한 새로운 시대, 새로운 세계의 도래를 지향하고 꿈꾼다.

7 에돔Edom은 이스라엘 남쪽의 사해 주변과 요르단의 산악 지방에서 살았던 고대 민족으로, 『구약성서』「창세기」 25장(27절~34절 참고)에서 동생 야곱Jacob에게 팥죽을 얻어먹고 '장자의 권리'를 팔아넘기는 에서Esau가 에돔 사람들의 시조다. 에서의 별명 '에돔'은 '붉다'라는 뜻으로, 「서시」의 "붉은 진흙"이라는 표현을 떠올리게 한다. 죽음을 앞둔 아버지의 마지막 축복(유언)마저 야곱에게 빼앗긴 에서의 축복해달라는 간청에 아버지 이삭이 이렇게 말한다: "네가 살아갈 땅은 척박한 땅, 하늘에서 이슬 한 방울 내리지 않으리니 너는 칼만 있으면 만사 다 해결되는 양 살아가리라. 하나 아우를 상전으로 섬겨야 하는 신세, 네 힘으로 그 굴레를 벗어던져야 하리라."(「창세기」 27장 39절~40절). 본문의 "지금은 에돔의 치세며, 아담이 낙원으로 돌아왔다."라는 표현은 '에서에게 남긴 이삭의 마지막 축복(유언)이 마침내 이루어졌다'라는 뜻으로 이해할 수 있겠다.

8 『구약성서』「이사야」 34장에서는 여호와의 분노와 복수에 따른 에돔의 멸망을, 그리고 35장에서는 광야와 사막의 부활과 포로들의 귀환을 예언하고 있다. 당대의 역사에 비추어, 에돔은 흔히 프랑스로 간주되며, 이 대목은 프랑스혁명에 대한 기대와 전망(새로운 시대의 탄생)을 담고 있다고 해석된다.

9 가령, 스베덴보리는 『하나님의 사랑과 지혜』(Divine Love and Wisdom,

1763) 163항에서 이렇게 말하고 있다. "두 태양—하나는 살아 있는 태양이요 다른 하나는 죽은 태양—이 없이는, 어떤 창조도 불가능하다. 우주는 일반적으로 두 세계, 영적 세계와 자연 세계로 나뉜다. 영적 세계에는 천사들과 영혼들이 있고, 자연 세계에는 인간들이 있다. 겉으로 보기에는 이 두 세계가 완전히 똑같아서, 서로 구분될 수 없을 듯하지만, 내부의 모습을 보면 둘은 완전히 다르다. 천사들과 영혼들이라고 불리는 영적 세계의 인간들은 영적이며, 영적으로 존재하기 때문에, 그들은 영적으로 생각하고 영적으로 말한다. 그러나 자연 세계의 사람들은 자연스러우므로, 자연스럽게 생각하고 자연스럽게 말한다. 따라서 영적인 생각과 말은 자연적인 생각이나 말과 아무런 공통점이 없다. 이렇게 이 두 세계, 영적 세계와 자연 세계는 서로 완전히 구분되기에, 어떤 측면에서도 두 세계는 함께 있을 수 없다."

10 존 밀턴의 『실낙원』에 대한 블레이크의 '독특한' 해석이 담겨 있다. 천국의 삼위일체(성부, 성자, 성령)와 대조되는 '지옥의 삼위일체(사탄, 죄, 죽음)가 형성되는 과정'에 대해서는 『실낙원』 제2권(745행 이하)을, 그리고 '천국의 전쟁'에 대해서는 제6권(824행 이하)을 참고하고, 블레이크의 『실낙원』 삽화(1808)도 찾아보기 바란다.

11 『구약성서』 「욥기」에서 사탄은 욥을 도덕적으로 비난하고 육체적으로 학대하는 역할을 한다. 그러나 사탄의 유혹과 시험을 받을 수록 하나님에 대한 욥의 믿음은 더욱 굳건해진다.

12 『신약성서』 「요한복음」에 나오는 그리스도의 말(14장 15절~16절)을 염두에 두고 쓴 표현으로 보인다: "너희가 나를 사랑한다면 나의 말을 지키라. 그러면 내가 아버지께 구할 것이며, 아버지께서는

다른 돕는 자를 너희에게 보내 너희와 영원히 같이 계시게 할 것이다." 이 그리스도의 말에서 "다른 돕는 자"는 '성령'을 가리킨다. 블레이크는 성서의 성령을 욕망으로 대체하고, 아버지(여호와)를 악마(사탄)로 대체해서, 그리스도가 악마에게 기도하고 부탁하는 상황을 연출한다.

13 "성령은 진공"이라는 표현은 밀턴이 성령을 중요하게 다루지 않았다(또는 무시했다)는 뜻이다.

14 블레이크는 밀턴의 『실낙원』에 그려진 '인간적인' 사탄이 독자들에게는 독재적으로 보이는 하나님이나 색깔 없이 무미건조하게 보이는 그리스도보다 훨씬 더 많은 공감을 산다고 주장하였다.

15 「기억할 만한 환상」A Memorable Fancy은 스베덴보리의 '다섯 가지 기억할 만한 관계들 혹은 사건들'Memorabilia을 떠올리게 하는 일종의 패러디다. 이 기억할 만한 관계들은 스베덴보리가 우주의 창조, 하나님과 자연, 하나님의 동식물 창조 과정, 창조의 주체(자연이냐 하나님이냐), 종교와 관련하여, 천사들(1), 악마들과 천사들(2), 기독교 세상에서 온 철학자들의 영혼(3), 한 천사(4), 한 여자와 함께 찾아온 한 악마(5)와 대화를 나누는 영적 체험의 기록들이다. 블레이크의 「기억할 만한 환상」도 모두 5편으로, 블레이크 자신의 지옥 여행기(「지옥의 격언」), 예언자들(이사야와 에스겔)과의 대화, 지옥의 인쇄소 체험기, 한 천사와의 대화와 환상 체험, 십계명의 율법에 대한 한 악마와 천사의 대화 속 '악마의 성서'에 대한 예언으로 이루어져 있다.

16 이 연 전체는 '부식 동판 제작(에칭) 과정'을 묘사하고 있다. "부식의 불꽃"은 산acid을 말한다. "한 강력한 악마"는 판화가이자 시인인 블

레이크 자신이다.

17 영국 최초의 산문시로 통하는 『천국과 지옥의 결혼』에서 가장 잘 알려진 「지옥의 격언」은 총 70개의 잠언으로 구성되어 있다. 구약성경에 「잠언」이 있다면, 지옥의 격언은 이른바 '악마판 잠언'이라고 할 수 있다. 블레이크는 악마의 잠언을 통해 대중들에게 선과 악이 조화를 이룬 현실적인 지혜를 계시적으로 보여준다. 젊은이에게 교훈을 줄 목적으로 지혜로운 자와 우매한 자를 대비한 것이 「잠언」이라면 「지옥의 격언」은 인간의 '욕망'을 전면에 내세워서, 욕망으로 점철된 현대 사회를 사는 우리에게 더욱 명징한 교훈을 전달한다고 하겠다.

18 "바보"는 왕의 '어릿광대'를 연상시킨다. '바보들'의 눈에는 어쩌면 멀쩡한 다른 사람들이 오히려 바보처럼 보이고, 실제로 바보일지 모른다.

19 시를 엄격한 종교적 의식으로 변질시켰다는 의미.

20 "인간의 가슴속에 모든 신들이 살고 있다"라는 표현은 모든 신들은 무한한 인간 상상력의 창조물들이라는 뜻.

21 "시적인 천재"Poetic Genius는 『구약성서』 「창세기」 1장에서 세상을 창조하는 하나님을 말한다. 그는 최고의 상상력을 지닌 천재로, 상상력으로 창조된 모든 것들이 이 최초이자 최고의 천재에서 비롯된다는 것이 블레이크의 생각이자 주장이다.

22 "다윗 왕"은 『구약성서』 「시편」의 작가(시인)로 통한다. 본문에서 다윗의 '말'은 '자신의 기도를 듣고 적을 물리치게 도와준 주님의 힘'을 찬미하는 「시편」 18장(「고마워라, 주님의 손길」), 또는 40장(「감사와 서원」)의 내용을 염두에 두고 쓴 표현으로 보인다.

23 『구약성서』「이사야」 20장 1절~3절 참고: '앗수르의 군대 총사령관이 사르곤 왕의 명령을 받고 블레셋 족속의 성읍 아스돗으로 진격하여 단번에 쳐서 점령하였다. 하마터면 유다도 그렇게 될 뻔하였으나 여호와께서 미리 아모스의 아들 이사야를 보내어 이렇게 경고해 주셨다. "너는 가서 허리에 동인 베옷을 벗고 발에 신은 가죽신을 벗어라!" 이사야가 그대로 하여 벗은 몸과 벗은 발로 돌아다녔다. 아스돗이 정복된 때에 주께서 이사야를 보내어 이렇게 말씀하셨다. "내 종 이사야가 삼 년 전부터 벗은 몸과 벗은 발로 돌아다니며 애굽과 구스가 당할 일을 미리 알려주는 상징이 되었다."'

24 디오게네스(B.C.412?-B.C.323)는 그리스의 철학자로, 소크라테스의 제자 안티스테네스가 스승의 철학에서 극기의 측면을 계승하여 창시한 키니코스학파(Cynics, 견유학파)의 일원이었다. 덕만 있으면 족하다며 쾌락을 멀리하고 정신적, 육체적 단련을 중시하여 단순하고 간소한 삶(그만큼 신에 가까워지는 자유로운 삶)을 실천한 이 학파의 대표적인 인물이 디오게네스였다. 일광욕하는 디오게네스에게 소원을 들어주겠다며 말을 거는 알렉산더대왕에게 그는 '아무것도 필요 없으니 햇볕을 가리지 말고 비켜 달라' 했고, 그 말에 대왕이 "내가 알렉산더가 아니었다면 디오게네스가 되고 싶었으리라"라고 말했다는 일화로 유명하다.

25 『구약성서』「에스겔」 4장 4절~6절 참고: '너는 왼편으로 누워서 이스라엘 백성의 죄를 네 몸에 지고 있어라! 너는 390일 동안 그런 자세로 땅바닥에 누워 있어야 한다. 이스라엘이 390년 동안 자기의 몸 위에 죄를 쌓아 놓았기 때문이다. 그 기간이 지나면 너는 40일 동안 오른편으로 누워 있어라. 그래서 내가 유다의 40년에 걸친 죄

를 네게 쌓아놓을 수 있도록 하여라.'

26 북미 원주민(인디언들)의 성인식, 또는 성인이 되기 위해 치르는 고통스러운 시험들을 염두에 두고 쓴 표현이다.

27 『구약성서』「창세기」3장 24절 참고: '[여호와 하나님께서는] 이렇게 사람을 [에덴동산에서] 내쫓으신 뒤에 에덴동산 동쪽에 천사 그룹Cherub을 두어 지키게 하시고 또 칼날과 같이 날카롭게 이글거리는 불이 사방을 빙빙 돌게 하였다. 그 누구든 생명 나무가 있는 길목으로 들어서지 못하게 하기 위해서였다.' 본문의 "그룹" 또는 '케루빔'Cherubim은 지식을 관장하는 제2계급의 천사로, 미술에서 흔히 날개가 달린 통통하고 귀여운 아이의 모습으로 묘사된다.

28 이「기억할 만한 환상」에서 이 대목까지, 블레이크는 자기 작품(책)의 '디자인-부식 동판-인쇄-장정 또는 제본-진열' 과정을 우의적으로 보여주고 있다.

29 "거인들"Giants은 인간의 창조적인 에너지, 즉 "생산하는 힘"the Prolific을 말하며, 이 힘과 상반되지만 필요 불가결한 힘이 "탐식하는 힘"the Devourer이다.

30 『신약성서』「마태복음」25장 31절~34절 참고: '인자가 영광에 싸여 모든 천사를 거느리고 와서 영광스러운 보좌에 앉을 때에 모든 민족이 불려 나와 인자 앞에 모일 것이다. 그때 내가 마치 목자가 양과 염소를 갈라놓듯이 사람들을 갈라서 양은 오른편에, 염소는 왼편에 둘 것이다.'「마태복음」10장 34절 참고: '내가 이 땅에 평화를 주려고 온 줄로 생각지 말라. 평화가 아니라 칼을 주려고 왔다.'

31 "마구간"은 예수 그리스도가 태어난 곳으로, 그의 이름으로 세워진 "교회"와 교회라는 제도가 그를 묻은 "납골당"으로 통해 있다. 블레

이크의 시에서 "물방앗간"은 대체로 기계적이고 분석적인 철학을 상징한다.

32 "대략 3도 거리에서"라는 표현에서 1도degree는 위도상의 거리로는 약 69마일, 경도상의 거리로는 약 55마일이다. 따라서 "3도 거리"는 위도상으로는 207마일(약 333km), 경도상으로는 165마일(약 265km)인 셈인데, 보통의 눈에는 보이지 않는 거리지만, 상상의 눈에는 아주 가깝고, 매우 위협적으로 비칠 수도 있는 거리라고 할 수 있다.

33 천사가 나(블레이크)에게 '공포의 장소'("나의 운명")로 보여준 장소가 '영감의 장소'로 바뀌는 상황이다. 이 즐거운 상태와 광경이 "나의 상상력"에서 비롯되었다면, 이 앞에 묘사되어 있는 무한한 심연의 무서운 광경들은 "마음의 파충류들"을 낳는 천사의 병든 상상력("형이상학")에서 비롯되었다는 것이 화자인 "나"의 주장이다.

34 천동설을 주장한 그리스의 천문학자 프톨레마이오스(Ptolemaeos, 85?~165?)의 우주에서는 토성이 가장 바깥에 있는 행성이고, 그 너머에 움직이지 않는 별들이 존재한다.

35 『신약성서』「요한계시록」1장 4절~5절 참고: '나 요한은 아시아에 있는 일곱 교회에 이 편지를 씁니다. 사랑하는 형제들이여, 지금도 계시고 전에도 계셨고 또 장차 오실 하나님과 그 보좌 앞에 있는 일곱 영과 우리에게 모든 진리를 계시해 주신 예수 그리스도께서 여러분에게 은혜와 평화를 내려 주시기를 빕니다.'

36 아리스토텔레스의 논리학, 또는 논리에 관한 논문들을 말한다.

37 파라셀수스(Paracelsus, 1493-1541)는 스위스의 의사이자 연금술사, 점성술사로 의학에 화학적인 개념을 도입한 '의화학'의 시조로 통한다. 그는 기존 의학 서적들을 의학 발전의 큰 장애물로 여기고 의

사들에게 '자연의 책(환자)으로 돌아가야 한다'라고 역설한 경험론자이면서, '신의 계시가 의학 지식의 직접적인 근원'이라고 주장한 직관론적 신비주의자였다. 야코프 뵈메(Jakob Böhme, 1575-1624)는 '진정한 계시는 학식 있는 자보다는 어리석은 자에게 내린다'라고 주장하며 자신의 신비적인 체험을 통해 신을 비롯한 모든 생명체에는 선악과 같은 이원적 대립이 존재한다고 주장한 독일의 구두장이이자 철학자였다.

38 『구약성서』「잠언」27장 22절 참고: '절구에 넣고 공이로 찧어도 어리석은 자의 어리석음은 벗겨지지 않는다.'

39 『신약성서』「마가복음」2장 27절~28절 참고: '안식일이 사람을 위해 있는 것이지 사람이 안식일을 위해 있는 것이 아니다. 그러므로 인자가 곧 안식일의 주인이다.'

40 『신약성서』「마태복음」10장 14절 참고: '어느 마을이나 집이든지 너희를 환영하지 않거든 그곳을 떠날 때에 너희 발에 묻은 먼지를 떨어버리라.'

41 불말들이 끄는 불수레가 달려와서 엘리야를 회오리바람에 휘감아 하늘로 데려가는 장면(『구약성서』「열왕기하」2장 11절)을 다시 연상시키는 대목이다.

42 이 「자유의 노래」("A Song of Liberty")는 블레이크가 1792년에 따로 지어서, 『천국과 지옥의 결혼』에 덧붙인 일종의 종결부로, 앞 작품의 종교적인 내용과 달리, 매우 정치적이다.

43 "영원한 여인"은 흔히 '어머니'로 묘사되는 '대지'를 가리킨다.

44 "앨비언"Albion은 브리튼 섬(영국)의 옛 이름. 앨비언은 '하얀 땅'이라는 뜻으로, 도버 해협에서 브리튼 섬의 남부를 내려다보면 백악

질의 절벽이 하얗게 보인다고 해서 붙여진 이름이다.

45 1789년에 일어난 프랑스혁명과 바스티유 감옥의 붕괴를 의미한다.

46 "열쇠들"은 교황권의 상징. 『신약성서』「마태복음」 16장 18절~19절 참고: '내[예수]가 네게 말한다. 너는 베드로다. 내가 이 반석 위에 내 교회를 세우리니 그 어떤 죽음의 세력도 그것을 누르지 못할 것이다. 또 나는 하늘나라의 열쇠를 너에게 주겠다. 네가 땅에서 잠가 둔 문은 어떤 것이든 하늘에서도 잠길 것이고, 땅에서 열어 둔 문은 하늘에서도 열릴 것이다!'

47 『신약성서』「요한복음」 11장 35절('예수께서는 눈물을 흘리고 계셨다.')을 떠올리게 한다. 이후에, 예수는 나사로가 죽어 묻혀 있는 동굴로 가서 입구에 쌓인 돌들을 치우게 하고, "나사로야, 나오너라!" 하고 큰 소리로 불러서, 그를 부활시킨다(「요한복음」 11장 38절~44절 참고).

48 "공포"는 기존의 종교, 정치, 윤리 등의 권력에 무섭게 도전하는 혁명 정신을 가리킨다.

49 대서양 밑으로 가라앉았다는 전설의 대륙 아틀란티스Atlantis를 떠올리게 하는 대목으로, "대서양" 또는 바다는 무엇이든 삼켜버리는 카오스를 상징한다. "빛의 저 무한한 산맥"은 바다로 가라앉기 전의 아틀란티스 대륙, 또는 당시 아틀란티스 대륙의 상태를 말한다.

50 "별들의 왕"은 일정한 궤도 또는 고정된 궤도를 도는 별들처럼 법칙에 따라 움직이는 우주를, "새로-태어난 불꽃"은 그런 우주의 법칙에 맞서는 세력—상상력, 에너지, 본능, 자유 등—을 가리킨다.

51 "서리 빛깔의 원소"는 '바다'를 말하는 것으로, '11번'에서 언급된 "불꽃"이 바다에 추락해서 꺼지지 않고, 마치 바다에 서리가 맺히

듯, 바닷물을 부글부글 끓게 하는 상황이나 장면을 연상시킨다.

52 블레이크의 이후 예언서들에서 우르토나Urthona는 타락한 세상에서 인류의 갱생을 위해 일하는 동인, '시적 상상력'을 대변하는 로스Los의 타락-이전 형상으로 묘사된다.

53 십계명을 말한다. 『구약성서』 「출애굽기」 31장 18절 참고: '여호와께서는 시내산에서 모세와 이야기를 다 나누신 뒤에 증거판 두 개를 모세에게 주셨다. 이 증거판은 돌로 된 판이었으며 하나님이 손수 쓰신 것이었다.'

54 『구약성서』 「이사야」 65장 25절 참고: '그때[새 하늘과 새 땅이 열리는 날]에는 늑대와 어린 양이 함께 초원에서 풀을 뜯어 먹고 사자가 소처럼 여물을 먹을 것이며 뱀이 흙을 먹고 살 것이다. 나의 거룩한 시온산에서는 서로 해치고 죽이는 일이 없을 것이다.'

주요 작품 연보

1783 『시적 소묘』(Poetical Sketches) 출간

1784 『달 속의 섬』(An Island in the Moon) 집필, 미출간

1789 『순수의 노래』(Songs of Innocence) 출간, 『셀의 서』(The Book of Thel) 집필, 출간

1789-1794 프랑스혁명 시기

1790-1793 『천국과 지옥의 결혼』(The Marriage of Heaven and Hell) 집필, 출간

1792 「자유의 노래」("A Song of Liberty") 편집, 『천국과 지옥의 결혼』에 합본

1793 『앨비언의 딸들이 본 환상』(Visions of the Daughters of Albion) 출간, 『아메리카: 예언서』(America a Prophecy) 출간

1794 『순수와 경험의 노래』(Songs of Innocence and of Experience) 출간, 『유럽: 예언서』(Europe a Prophecy) 출간, 『유리젠의 제1서』(The First Book of Urizen) 출간, 이후에는 『유리젠의 서』(The Book of Urizen)로 출간

1795 『로스의 노래』(The Song of Los) 집필, 『로스의 서』(The Book of Los) 출간, 『아하니아의 서』(The Book of Ahania) 출간

1797-1807 『발라 혹은 네 조아』(Vala, or The Four Zoas) 구상, 미출간

1804-1808 『밀턴』(Milton) 집필, 출간

1804-1820 『예루살렘』(Jerusalem) 집필, 출간